D0312942

Trois amies

Judy Blume

Trois amies

Traduit de l'américain
par Raphaëlle Desplechin

Médium
11, rue de Sèvres, Paris 6e

Du même auteur à *l'école des loisirs*

Collection Médium

Ce n'est pas la fin du monde
Dieu, tu es là ? C'est moi Margaret
Et puis, j'en sais rien
Un exposé fatal
Œil de tigre
Pour toujours
Tiens bon, Rachel !

Titre original : «Just as Long as We're together»
(Orchard Books, New York)
Loi n° 49.956 du 16 juillet 1949 sur les publications
destinées à la jeunesse : mars 1991
Dépôt légal : juillet 2004
Imprimé en France par Bussière Camedan Imprimeries
à Saint-Amand-Montrond
N° d'édit. : 5410. – N° d'impr. : 042644/1.

A mon ami,
STEPHEN MURPHY
de la part de Lola, avec amour

1
Beaux mecs

– Stéphanie s'intéresse aux beaux mecs maintenant, dit ma mère à ma tante, un dimanche après-midi.

Elles étaient toutes les deux à la cuisine en train de préparer une salade de pommes de terre, et moi, j'étais allongée sur l'herbe, dans le jardin, en train de lire. La fenêtre de la cuisine était grande ouverte, alors j'entendais tout ce qu'elles disaient. Je ne faisais pas vraiment attention, jusqu'à ce que j'entende mon nom.

Au début, je ne voyais pas vraiment ce que ma mère voulait dire par *Stéphanie s'intéresse aux beaux mecs*, mais j'ai compris quand elle a ajouté : *Elle a scotché un poster de Richard Gere sur le plafond juste au-dessus de son lit et elle dit qu'elle aime bien le regarder avant de s'endormir.*

– Oh ! oh ! dit Tante Denise. Tu ferais bien d'avoir une petite conversation avec elle.

– Elle sait déjà pour les oiseaux et les abeilles, dit Maman.

– Oui, mais qu'est-ce qu'elle connaît des garçons ? demanda Tante Denise.

Il se trouve que j'en connais un bout sur les garçons. Quant aux beaux mecs, je n'en connais aucun personnellement. La plupart des garçons de mon âge

— et dans deux semaines j'entre en sixième — sont encore des bébés. Quant à Richard Gere, je ne savais même pas qu'il était connu quand j'ai acheté ce poster Il était en solde. Ça doit être une vieille photo, parce qu'il paraît jeune, environ dix-sept ans. Il était vraiment mignon à cette époque. J'aime bien l'expression de son visage, il sourit un peu, gentiment, comme s'il partageait un secret avec moi.

En fait, je ne l'appelle pas Richard Gere, je l'appelle Benjamin, mais ma mère ne le sait pas. Pour elle, c'est un acteur connu. Pour moi, c'est Benjamin Moore, il a dix-sept ans et c'est mon premier petit ami. J'adore ce nom, Benjamin Moore. Je l'ai trouvé sur une boîte de peinture. Nous avons déménagé cet été et, pendant des semaines, ça a empesté la peinture. Pendant qu'on peignait ma chambre, j'ai dormi dans la chambre de mon frère. Il s'appelle Bruce et il a dix ans. Je n'ai pas passé une seule bonne nuit de toute la semaine, parce que Bruce fait des cauchemars.

Mais dès que les peintres ont quitté ma chambre, j'y suis retournée et j'ai accroché mes posters. J'en ai dix-neuf, sans compter Benjamin Moore, et c'est le seul scotché au plafond. Ça m'a pris toute une journée pour installer mes posters exactement comme je voulais, et ce soir-là, quand ma mère est rentrée du travail, je lui ai demandé de monter les voir.

– Oh, Stéphanie ! a-t-elle dit. Tu aurais dû faire ça avec des punaises, pas avec du scotch. Le scotch, ça enlève la peinture des murs.

– Non.

– Si.

– Regarde... Je vais te le prouver, ai-je dit en décollant le poster d'une lionne avec ses petits.

Mais Maman avait raison. Le scotch avait bien enlevé des éclats de peinture.

– Je crois que je ferais mieux de ne pas changer mes posters de place.

– Je suppose que tu as raison, a répondu ma mère. Et nous demanderons aux peintres de repasser une couche sur le mur.

Je me sentais un peu gênée et j'imagine que Maman l'avait vu car elle a ajouté :

– Mais tes posters sont très beaux. Tu les as disposés de façon très artistique. Spécialement celui au-dessus de ton lit.

2
Rachel

– Cette chambre est incroyable ! dit Rachel Robinson, ma meilleure amie.

Elle était là trois secondes après son retour du stage de musique qu'elle faisait pour les vacances. Nous avons crié en nous voyant. Papa dit qu'il ne comprend pas pourquoi les filles crient toujours comme ça, mais je n'ai pas d'explication à lui donner.

Rachel devait avoir encore grandi de cinq centimètres pendant l'été, parce que, quand Maman l'a embrassée, elle semblait encore plus grande. C'est probablement la fille la plus grande de sixième.

– Je n'ai jamais vu autant de posters dans une seule pièce ! dit Rachel, debout au milieu de ma chambre, en hochant la tête.

Quand elle vit celui de Benjamin Moore, elle ajouta :

– Comment as-tu fait pour le mettre au plafond ?

– Allonge-toi, dis-je.

– Pas maintenant.

– Si, maintenant... (Je la poussai vers le lit.) C'est la seule façon de bien le voir.

Rachel dut écarter les animaux en peluche de mon lit pour pouvoir s'allonger.

Je m'affalai à côté d'elle.

– Il est mignon, hein ?
– Ouais... il est mignon.
– Ma mère dit que c'est un beau mec.
Rachel rit.
– Tu sais comment je l'appelle ?
– Non, comment ?
– Benjamin Moore.
– Benjamin Moore... dit Rachel, en se redressant sur un coude. Ce n'est pas une marque de peinture, ça ?
– Si, mais j'aime bien ce nom.
Rachel me jeta un singe en peluche.
– Tu es tellement bizarre, Steph !
Je savais que pour elle c'était un compliment.
– C'est ton collier contre les piqûres d'abeilles ? demanda Rachel en tendant le bras pour attraper le médaillon que j'avais autour du cou. (En se penchant, ses cheveux brun auburn et bouclés vinrent frôler mon bras.) Je peux voir comment c'est fait ?
– Bien sûr.
Pendant que j'étais en camp d'éclaireuses, j'ai marché sur une abeille et j'ai fait une allergie. J'étais en état de choc et l'infirmière du camp a dû me réanimer. Le docteur a dit que, maintenant, il fallait que j'aie toujours des pilules antiallergiques sur moi au cas où je serais encore piquée. Ce sont de petites pilules bleues. J'espère que je ne devrai jamais les prendre. Je ne sais pas très bien avaler les pilules. Quand je suis revenue du camp, Grand-Lola, ma grand-mère, m'a donné ce collier. Et j'avais écrit toute cette histoire à Rachel.
J'ouvris le petit cœur en or.
– Regarde... dis-je, en le lui montrant. Au lieu d'une photo, on peut mettre trois pilules.

Rachel les toucha.
– Quel effet ça fait d'être en état de choc ?
– Je ne m'en souviens pas. Je crois que j'ai eu la tête qui tournait... et puis tout est devenu noir.
– Promets-moi que tu porteras toujours ce collier sur toi, dit Rachel. Au cas où.
– Je te le promets.
– Bien. (Elle referma le cœur.) Maintenant... Qu'est-ce que tu vas faire avec ces cartons ? demanda-t-elle en pointant le doigt vers la chambre. Quand est-ce que tu vas les déballer ?
– Bientôt.
– Si tu veux, je peux t'aider à le faire maintenant.
– Ça ira...
– Mais il faut t'organiser avant que l'école commence, Steph. (Elle traversa la chambre et s'agenouilla devant le plus gros carton.) Tes livres ! dit-elle. Tu veux les classer par sujets ou par auteurs ?
– Ce n'est pas une bibliothèque, dis-je. C'est une chambre à coucher.
– Je sais... Mais puisqu'il faut le faire, autant le faire bien.
– Je n'ai pas besoin de classer mes livres dans un ordre spécial, dis-je.
– Mais comment tu vas faire pour les retrouver ?
– Je les reconnais par leur couleur.
Rachel rit.
– Tu es vraiment un cas désespéré !
Plus tard, je raccompagnai Rachel chez elle. C'est drôle, parce que quand j'ai appris que nous allions déménager, j'ai pleuré toutes les larmes de mon corps. Et puis quand mes parents m'ont dit que nous allions à Palfrey's Pond, je ne croyais pas à ma chance puisque c'était là où Rachel habitait. Mainte-

nant, non seulement nous sommes meilleures amies, mais nous sommes aussi voisines. Et déménager de quelques rues ce n'est pas vraiment déménager. Je crois que nous sommes partis parce qu'il fallait refaire le toit de la maison et que Maman et Papa sont presque tombés dans les pommes quand ils ont appris combien ça coûterait.

A Palfrey's Pond, les maisons sont disséminées çà et là et pas alignées comme dans les rues. On dirait de vieilles maisons, un peu comme celles d'un village colonial. Rachel habite de l'autre côté de l'étang. Quand nous sommes arrivées, elle a dit :

– Maintenant, c'est moi qui te raccompagne chez toi.

Je l'ai regardée et nous avons ri toutes les deux.

Quand nous fûmes arrivées chez moi, j'ai dit :

– Maintenant, c'est moi qui te raccompagne chez toi.

Puis Rachel m'a raccompagnée.

Puis je l'ai raccompagnée.

Puis elle m'a raccompagnée.

Nous avons fait neuf fois le chemin jusque chez moi avant que Maman me dise qu'il était temps de rentrer.

3
Alison

La veille de la rentrée des classes, il faisait chaud et tout était calme. Je suis allée près de l'étang pour me tremper les pieds dans l'eau. C'est là que j'ai vu cette fille pour la première fois. Elle était allongée à côté de l'arbre avec un gros trou dans le tronc. J'imagine qu'elle essayait de voir la famille de ratons laveurs qui vit à l'intérieur. Moi, je ne les ai jamais vus, mais mon frère si.

Je secouai les pieds pour les sécher, remis mes sandales et allai la rejoindre. Elle paraissait avoir le même âge que Bruce. Son tee-shirt rayé rouge et blanc lui descendait jusqu'aux genoux. Il devait appartenir à son père. Elle avait de longs cheveux. Elle ne les avait pas brossés ce jour-là, je le voyais à ses mèches de travers et aux nœuds qu'il y avait au bout. Elle ne devait pas avoir peur de marcher sur une abeille, elle, parce qu'elle était nu-pieds.

Elle avait un petit chien avec elle, ce genre de chien qui a des poils qui lui tombent sur les yeux. Aussitôt que j'arrivai, il se mit à aboyer.

– Du calme, Maizie, dit la fille. (Et puis elle se tourna vers moi.) Salut. Je suis Alison. Nous venons d'emménager. Tu ne l'as probablement pas remarqué, parce que nous n'avons pas utilisé de camion de déménagement. Nous louons le numéro 25.

– Moi, je suis Stéphanie, dis-je. J'habite ici aussi, au numéro 9.

Alison se leva et s'essuya les mains. Elle sortit une carte de la poche de son short, sous son tee-shirt. J'étais vraiment étonnée car j'en avais reçu une exactement pareille la semaine dernière. Devant, était écrit . *En attendant...* et à l'intérieur : *...De te rencontrer jeudi prochain.* C'était signé *Natalie Remo, professeur principal de sixième, salle 203.*

– Tu connais Mme Remo ? demanda Alison. Parce que je vais l'avoir comme professeur principal.

J'imagine qu'elle avait remarqué que j'étais surprise car elle ajouta :

– Tu croyais probablement que j'étais plus jeune. Tout le monde le pense. Je suis tellement petite. Mais je vais avoir treize ans en avril.

Je ne lui ai pas dit que je pensais qu'elle avait l'âge de Bruce. Au lieu de ça, je dis :

– Moi, j'aurai treize ans en février. (Je ne lui mentionnai pas la date exacte, le jour des marmottes*.) Moi aussi j'ai Mme Remo comme professeur principal et j'ai reçu la même carte que toi.

– Oh ! dit Alison. Je croyais qu'elle me l'avait envoyée parce que j'étais nouvelle. Je viens de Los Angeles.

– Mon père est là-bas en ce moment, pour son travail, lui dis-je. Il est parti depuis le début du mois d'août, depuis qu'on a déménagé. Je ne sais pas pour

* Le jour des marmottes : on dit que les marmottes sortent pour la première fois de leur hibernation ce jour-là. Si elles ne voient pas leur ombre, elles retournent se cacher. C'est que le printemps n'est pas encore là et que l'hiver va durer quatre semaines de plus.

combien de temps cette fois. Une fois il est resté six semaines au Japon.

Maizie, le chien, aboya. Alison s'agenouilla à côté de lui.

– Qu'est-ce que tu dis, Maizie ? demanda-t-elle en collant son oreille contre la gueule du chien.

Maizie fit quelques grognements et Alison hocha la tête et se mit à rire.

– Oh ! allez, Maizie, dit-elle, comme si elle parlait à son chien. (Et puis Alison releva la tête vers moi.) Maizie a un sacré caractère ! Mais elle m'a demandé de te dire qu'elle était contente que nous soyons dans la même classe, parce qu'elle avait peur que je ne connaisse personne dans ma nouvelle école.

– C'est ton chien qui t'a dit ça ?

– Oui, dit Alison. Mais écoute... J'aimerais bien que tu n'en parles pas. Une fois que les gens savent que mon chien parle, c'est fini ! A Los Angeles, il y avait toujours des reporters et des photographes qui nous suivaient partout. On essaie d'éviter d'avoir la même publicité ici.

– Tu veux dire, demandai-je, que ton chien parle vraiment... comme M. Ed, le cheval parlant qui passe à la télé ?

– Ce cheval ne parle pas vraiment, dit Alison, comme si je ne le savais pas.

– Bon, dis-je, en me grattant une piqûre de moustique sur la jambe, mais comment, précisément, Maizie fait-elle pour parler ? Je veux dire... est-ce qu'elle parle avec des mots ou quoi ?

– Bien sûr qu'elle parle avec des mots, dit Alison. Mais elle ne parle pas parfaitement anglais, parce que ce n'est pas sa langue maternelle. C'est difficile pour un chien d'apprendre d'autres langues.

– Et c'est quoi sa langue maternelle? demandai-je.

– Le français.

– Oh ! le français. (Maintenant ça devenait vraiment intéressant.) Moi, je vais commencer le français cette année.

– Et moi l'espagnol, dit Alison. Je parle déjà français. J'ai vécu près de Paris jusqu'à six ans.

– Je croyais que tu étais chinoise ou quelque chose comme ça, dis-je.

– Je suis vietnamienne, dit Alison. J'ai été adoptée. Ma mère est américaine, mais elle était mariée avec Pierre Monceau, un Français, quand ils m'ont adoptée. Maman est revenue aux Etats-Unis après leur divorce. C'est là qu'elle a rencontré Léon, mon beau-père.

J'adore que les gens me racontent leur vie en détail, alors je me suis assise à côté d'Alison en espérant qu'elle m'en dirait plus. Bruce dit que je suis indiscrète, mais ça n'est pas vrai. J'ai quand même compris qu'il ne fallait pas poser trop de questions quand on rencontre les gens pour la première fois, sinon ils se font une fausse idée de vous. Ils peuvent ne pas comprendre que vous êtes vraiment curieux et vous accuser de vous mêler de leurs affaires.

Alison jouait avec une petite branche qu'elle faisait courir sur le dos de Maizie. Je ne lui posai aucune des questions qui se formaient déjà dans mon esprit. Au lieu de cela, je dis :

– Est-ce que ton chien accepterait de me parler?

– Peut-être, dit Alison, si elle a envie.

Je me raclai la gorge.

– Bonjour Maizie, dis-je, comme si je parlais à

un petit enfant. Je suis ta nouvelle voisine, Stéphanie Hirsch.

Maizie dressa la tête comme si elle m'écoutait vraiment. Ses minuscules dents du bas avançaient, exactement le contraire de moi. Mes dents du dessus avançaient avant que j'aie mon appareil. Je ne sais pas ce qui se passe à l'intérieur de ma bouche, mais normalement, avec mon appareil, mes dents devraient être redressées à la fin de la cinquième. L'orthodontiste dit que j'ai les dents en parasol. Mais si j'ai les dents en parasol, Maizie, elle, a les dents en éventail.

– De quelle race es-tu ? lui demandai-je en lui caressant le dos.

Elle avait les poils collants, comme si elle s'était roulée dans la mélasse.

– C'est un mélange, dit Alison. On ne connaît pas ses parents, donc on ne sait pas s'ils parlent eux aussi, mais probablement pas. Il n'y a qu'un chien sur dix-sept millions qui parle.

– Un sur dix-sept millions ?

– Oui, c'est ce que le vétérinaire nous a dit. C'est extrêmement rare. Maizie est probablement le seul chien qui parle dans tout le Connecticut.

– Eh bien, dis-je, j'ai hâte que Rachel voie Maizie.

– Qui est Rachel ? demanda Alison.

– C'est ma meilleure amie.

– Oh, tu as une meilleure amie.

– Elle habite ici elle aussi, au numéro 16. Elle est très intelligente. Elle n'a que des A à l'école.

Je me levai.

– Je dois rentrer chez moi maintenant, mais je te verrai demain. Le bus scolaire s'arrête juste en face de la mairie. C'est le grand bâtiment, juste en bas de la rue. Normalement, il passe à huit heures moins dix.

– Je sais, dit Alison. J'ai reçu une note à ce sujet.

Elle se leva elle aussi.

– Il faut mettre des jeans ou des jupes pour aller à l'école ?

– On peut mettre les deux, dis-je.

– Et pour les chaussures ?

Je regardai les pieds nus d'Alison.

– Il faut en mettre, dis-je.

– Je veux dire quel *genre* de chaussures ?... Des tennis, des sandales ou quoi ?

– La plupart des élèves mettent des mocassins.

– Des mocassins ! C'est tellement BCBG ! dit Alison.

– Mais tu n'es pas obligée d'en mettre, lui dis-je. Tu mets ce que tu veux.

– Bien. C'est ce que je ferai.

4
La chambre de Rachel

– Les chiens ne parlent pas, dit Rachel ce soir-là, quand je lui racontai l'histoire d'Alison et de Maizie

J'étais assise sur le lit de Rachel. Ses chats, Burt et Harry, étaient blottis contre mes jambes et ronronnaient. Ils portaient ces noms-là à cause d'une publicité pour une marque de bière qui existait du temps où les parents de Rachel étaient jeunes.

Rachel ouvrit son placard pour en sortir ce qui ne lui allait plus. Tous ses habits étaient suspendus sur des cintres rangés dans le même sens et ils étaient tous protégés avec du plastique.

Dans mon placard à moi, tout est en désordre. L'année dernière, Rachel a essayé de tout ranger. Mais, une semaine après, c'était de nouveau le bazar et elle a été déçue.

– Tu te débarrasses de ton sweat-shirt Yale ? demandai-je.

– Non, il me va encore.

– Et ta chemise écossaise rouge ?

– Oui... Tu la veux ?

– Je vais l'essayer pour voir, dis-je.

Rachel l'enleva de son cintre et me la tendit.

– Il va falloir que j'aille acheter des habits pour la rentrée.

J'avais déjà fait mes courses la semaine dernière. J'ai acheté une jupe, plusieurs chemises, un pull et un jean de marque. La mère de Rachel dit que les jeans sont hors de prix et qu'elle ne permettra jamais à Rachel ou à Jessica, sa sœur de seize ans, d'acheter des pantalons de marque. Rachel a également un frère, Charles. Il a quinze ans. Mais il ne s'entend pas avec le reste de la famille et il est dans une école loin d'ici. Je ne crois pas qu'il s'intéresse aux jeans de marque, lui.

Ma mère dit qu'elle admire Mme Robinson. *Nell Robinson se tient à ses opinions, elle, au moins,* en tout cas, c'est comme ça que ma mère l'explique. *J'aimerais avoir des convictions aussi ancrées que les siennes.* Mais elle n'est pas comme ça. C'est pour ça que j'ai pu acheter un jean Guess. Ce n'est pas vraiment que j'attache de l'importance aux marques, mais j'aimais bien la coupe.

J'enlevai mon tee-shirt en le passant au-dessus de ma tête.

– Steph ! cria Rachel en baissant les stores des fenêtres. J'aimerais que tu te souviennes que tu entres au collège maintenant. Tu ne peux pas continuer à te conduire comme un bébé. Où es ton soutien-gorge ?

– A la maison. Il faisait trop chaud pour le mettre.

Je passai la chemise écossaise rouge de Rachel. Elle est en flanelle mais elle a été lavée si souvent qu'elle est devenue presque aussi fine que du coton. Elle était douce contre ma peau. Je fermai les boutons et roulai les manches. Et puis je sautai sur le lit, en réveillant Burt qui bâilla et s'étira. J'allai me regarder dans le miroir de Rachel.

– Je l'aime bien, dis-je.

– Elle est à toi, me dit Rachel.

– Merci.

J'enlevai la chemise. Les stores étaient baissés, mais j'avais un peu froid à cause de la brise qui pénétrait par les fenêtres.

– Remets ton tee-shirt, Steph, dit Rachel en me le tendant et puis elle se retourna.

Je l'enfilai et m'affalai sur le lit. Burt jouait avec un élastique et courait dans toute la chambre. Harry était roulé en boule, profondément endormi.

Rachel alla à son bureau pour prendre son cahier de textes. Il était recouvert de papier peint. Je reconnus le dessin — des points minuscules et des fleurs roses et vertes — de leur salle de bains. C'était super.

– Tu en as encore ?

– Je crois qu'il reste des bandes de papier bleu, celui de la salle à manger. Tu veux que j'aille voir ?

– Oh ! oui.

Je suivis Rachel dans le couloir. Elle mit l'escabeau devant le placard et grimpa dessus.

– Voilà, dit-elle en me tendant un rouleau.

Et puis nous descendîmes. Mme Robinson était à la table de la salle à manger, des piles de papiers et de livres répandus devant elle. Elle est avocat.

– Stéphanie... dit-elle en levant la tête une seconde, tu tombes bien !

– Maman a un procès important qui commence demain, m'expliqua Rachel.

Mme Robinson commence ou est toujours en plein milieu d'un procès important.

M. Robinson était à la table de cuisine. Lui aussi était entouré de livres et de papiers. Il est professeur d'histoire au lycée. Au moment où nous entrâmes dans la cuisine, il se fourra deux tablettes de Pepto Bismol, un calmant, dans la bouche.

– Je suis toujours nerveux avant la rentrée des classes, dit-il en suçotant ses tablettes. On pourrait croire que j'y suis habitué maintenant, mais non.

– Je ne savais pas que les professeurs avaient peur avant la rentrée, dis-je.

M. Robinson hocha la tête.

– Ça commence en août avec un mal d'estomac et ça ne s'arrête pas avant la fin septembre. (Il avait les dents roses à cause des tablettes de Pepto Bismol.)

– Je vais chez Steph, dit Rachel. Je serai revenue dans moins d'une heure.

– D'accord, dit M. Robinson.

Rachel emporta le rouleau de papier peint. En passant devant le numéro 25, je lui dis :

– C'est la maison d'Alison. Elle est dans la classe de Mme Remo elle aussi.

Rachel se figea sur place.

– Ce n'est pas juste ! (Elle, elle avait une certaine Mme Levano comme professeur principal.) Je ne sais pas ce que je vais faire si nous n'avons pas les mêmes cours.

– Ne t'en fais pas, dis-je. On sera dans les mêmes cours.

– J'espère que tu as raison.

Les lumières étaient allumées chez Alison, mais les rideaux étaient bien tirés et on ne voyait pas à l'intérieur.

– Comment elle est ? demanda Rachel.

– Elle est petite et sympa, dis-je. Ça a l'air d'une fille bien.

– Oui, si on ne tient pas compte de cette histoire de chien qui parle.

– Mais c'est possible, dis-je.

– Allons, Stéphanie ! Les chiens qui parlent, ça n'existe pas. Si ça existait, on le saurait.

– Peut-être, dis-je.

Quand nous arrivâmes chez moi, Maman était en train de travailler sur son ordinateur. Depuis qu'elle en a un à la maison, elle passe moins de temps au bureau.

– Papa a appelé, Steph. Il veut que tu le rappelles.

– D'accord. Je laissai Rachel dans le salon avec Maman et appelai Papa au téléphone de la cuisine. C'est drôle de lui parler à Los Angeles, parce que quand il est huit heures ici, il n'est que cinq heures là-bas. Il était encore au bureau et moi j'allais bientôt me coucher.

– Tu me manques, dit Papa.

– Toi aussi, tu me manques. Quand vas-tu rentrer ?

– Je ne sais pas encore.

– J'espère que ça ne sera pas dans trop longtemps.

– Mais je serai à la maison pour Thanksgiving* de toute façon.

– Papa... C'est dans plus de deux mois !

– Je ne peux pas rentrer avant, Steph. Je dois faire deux voyages à Hawaii et un autre en Orient.

Je me tus pendant une minute. Papa ne parla pas non plus. Et puis il ajouta :

– Bon... eh bien, bonne rentrée des classes.

* Thanksgiving : 25 novembre, jour férié aux Etats-Unis pour commémorer la première récolte des colons anglais, où ils partagèrent leur nourriture avec les Indiens. Ce jour-là, on fait un grand repas avec les plats traditionnels américains, d'origine anglaise et indienne : la dinde, le gâteau aux potirons, etc.

– Rachel et moi, nous ne sommes même pas dans la même classe, dis-je.

– Ne t'en fais pas... tu t'en sortiras bien, même sans Rachel.

– Je ne m'en fais pas. Qui a dit que je m'en faisais ? Je dis simplement que ce n'est pas juste, parce que c'est ma meilleure amie.

– Tu verras Rachel après les cours.

– Qu'est-ce que tu veux dire par *après* les cours ? lui demandai-je. Nous prenons le même bus et nous aurons probablement les mêmes cours.

– Alors vous serez tout le temps ensemble... comme avant.

– C'est ça, dis-je.

– Quel temps fait-il ? demanda Papa.

– Chaud et humide avec une menace d'orage.

Papa adore savoir quel temps il fait. Je lui dis au revoir et je revins dans le salon.

– Rachel t'attend en haut, me dit Maman.

– Surprise ! cria Rachel quand j'entrai dans ma chambre.

Elle me tendit mon cahier de textes. Elle l'avait recouvert pendant que je parlais à Papa.

– Qu'est-ce que tu en penses ? demanda-t-elle.

Je voulais recouvrir mon cahier de textes moi-même, voilà ce que je pensais, mais je ne pouvais pas le dire à Rachel, elle se serait vexée. Donc je dis :

– C'est bien.

– C'est vraiment difficile de faire des coins parfaits avec du papier peint, dit-elle. Tu veux que j'écrive ton nom et ton adresse dedans ?

– Je le ferai moi-même.

– D'accord... Mais je vais tracer les lignes pour faire des lettres régulières. (Elle fouilla dans mon bureau.)

– Où est ta règle ? demanda-t-elle.
– Ne t'inquiète pas pour ça, dis-je. Je le ferai moi-même.

⁂

Quand Rachel fut partie, je pris un bain et me lavai les cheveux. Ça fait un drôle d'effet de se laver les cheveux quand ils sont courts et qu'on a longtemps eu les cheveux longs. L'autre soir, quand Rachel m'a vue, elle m'a demandé :
– Qu'as-tu fait à tes cheveux ?
– Je les ai coupés, lui ai-je répondu. Il faisait tellement chaud quand je suis rentrée du camp que j'ai décidé de les couper tout court.
– Toi-même ?
– Non, je suis allée chez Dernière Coupe.
J'ai bien aimé mes cheveux courts pendant une semaine environ, mais maintenant, je préférerais ne jamais les avoir coupés. Il faudra probablement une année entière pour qu'ils repoussent.
– C'est une coupe intéressante, avait dit Rachel. Surtout derrière.
Je m'enroulai dans une serviette et quittai la salle de bains tout embuée. Je n'arrivais pas à croire que Papa n'allait pas rentrer à la maison avant Thanksgiving. Il n'était jamais parti aussi longtemps. Mais l'automne passe beaucoup plus vite que l'hiver, me rappelai-je. C'est ma saison préférée, si on ne compte pas le printemps. J'aime beaucoup l'été aussi. Et l'hiver, c'est rigolo à cause de la neige... Je commençais à me sentir mieux.
Avant de me coucher, je retrouvai ma règle. Elle était en dessous de Wiley Coyote, mon animal en

peluche préféré. Papa l'avait gagné l'année dernière à la kermesse du Rotary Club. Je tirai quatre lignes droites dans mon cahier de textes et puis j'écrivis mon nom et mon adresse. Ensuite je contemplai mon travail pendant un moment.

Je me glissai dans mon lit et je regardai Benjamin Moore. J'espère que je rencontrerai un garçon comme lui au collège.

5
L'école

Le matin suivant, à l'arrêt de bus, je présentai Alison à Rachel. Alison portait un pantalon large, une chemise blanche environ dix fois trop grande pour elle et des tennis. Elle avait des lunettes de soleil autour du cou, attachées à un cordon, et un sac en toile accroché à l'épaule. Ses cheveux n'étaient plus emmêlés, mais ils n'étaient pas bien coiffés non plus. Cela dit, elle était super.

Et puis Rachel nous présenta Dana Carpenter, une fille de quatrième qui habitait également à Palfrey's Pond. J'étais contente d'être avec d'autres personnes dans le bus scolaire, parce que j'avais entendu dire qu'il y avait des élèves qui s'amusaient à embêter les sixièmes le premier jour de la rentrée.

Quand le bus arriva, Rachel et moi trouvâmes deux places l'une à côté de l'autre. Alison s'installa deux rangs devant, avec Dana Carpenter. Et personne n'avait l'air de vouloir nous embêter.

– Tu ne m'avais pas dit qu'Alison était chinoise, murmura Rachel quand le bus se mit en route.

– Elle est vietnamienne, dis-je à Rachel. C'est une enfant adoptée.

– Oh, dit Rachel. Elle n'a pas l'air d'avoir peur.

– Je ne crois pas que ce soit le genre de fille à avoir peur de la rentrée, dis-je.

– J'aimerais bien être comme elle, dit Rachel. Je n'ai rien pu avaler ce matin. Je tremblais tellement que j'ai à peine réussi à me brosser les dents.

Pour aider Rachel à se calmer, je lui offris un cookie au chocolat que je sortis de mon sac de déjeuner. Elle en grignota un bout avant de me le rendre. Il ne faut pas le perdre, pensai-je, alors je le finis.

A l'arrêt suivant, six garçons montèrent dans le bus. L'un d'eux était le plus joli garçon que j'aie jamais vu de ma vie, presque aussi beau que Benjamin Moore.

– Hé, Jérémy ! cria un groupe de garçons. Par ici, derrière...

Le garçon, Jérémy, passa juste à côté de moi en s'avançant vers ses amis. Son bras frotta mon épaule. Je me retournai pour mieux le voir. Rachel fit pareil. Et la plupart des filles du bus firent pareil. Il avait les cheveux châtains, les yeux marron, un beau sourire et il portait un blouson couleur chartreuse. J'ai appris que cette couleur s'appelait comme ça grâce à la boîte de crayons de couleur Crayola que j'avais en CE1. Au dos de son blouson était écrit *Dragons*, et au-dessous *1962*.

– Il est carré, me murmura Rachel.

– Ouais, dis-je. C'est vraiment un beau mec.

Nous éclatâmes de rire et je voyais que Rachel était plus détendue. Mais quand le bus s'arrêta devant le collège, elle se raidit. Sa classe, salle 7-202, était juste à côté de la mienne, salle 7-203.

– Reste avec moi jusqu'à ce que la cloche sonne, me pria-t-elle. Et promets-moi que tu viendras me voir ici, dans le couloir, avant le premier cours pour qu'on compare nos emplois du temps... d'accord ?

– D'accord, dis-je.

Alison était à côté de moi. Elle n'arrêtait pas de mettre puis d'enlever ses lunettes de soleil.

– Regarde, Rachel. Voilà les jumeaux Klaff. Kara est dans ta classe et Peter est dans la mienne.

Les jumeaux Klaff étaient en CM2 avec nous, et leur mère est notre médecin. Je pensais que Rachel se sentirait mieux quand elle saurait que Kara était dans sa classe.

– Bon... Je crois qu'il est temps, dit Rachel. Je vais compter jusqu'à dix avant d'entrer.

– D'accord.

Elle compta très lentement. Quand elle fut arrivée à dix, elle dit :

– A tout à l'heure, si je suis encore en vie !

Elle se retourna et entra dans sa classe. Parfois, Rachel peut se montrer vraiment dramatique.

Le bureau d'Alison était à côté du mien. Dès que je fus assise, Eric Macaulay cria :

– Hé... voilà Hershey Bar* !

Bien sûr, il *fallait* qu'il soit dans ma classe celui-là ! L'année dernière, avec d'autres garçons, il avait eu la brillante idée de m'appeler Hershey Bar simplement parce que je m'appelle Hirsch. Ils sont tellement bêtes ! Et évidemment, il fallait qu'il s'installe au bureau juste devant le mien.

En plus d'Eric Macaulay et de Peter Klaff, il y avait deux autres garçons et deux filles de CM2 dans ma classe. Il y en avait une, Amber Ackbourne, que je n'ai jamais aimée. Elle se conduit d'une drôle de façon ! L'autre, Miri Levine, n'est pas mal. Elle avait

* Hershey Bar : barre de chocolat, un peu comme les Mars.

le bureau de l'autre côté du mien. Je posai mon cahier de textes, recouvert du papier peint de la salle à manger de Rachel, sur mon bureau. Miri Levine le vit et dit :

– J'aime bien ton cahier de textes.

Je répondis :

– Merci.

Elle avait un cahier de textes uni à spirale sur son bureau.

– Comment as-tu réussi à faire des coins aussi parfaits ? demanda-t-elle.

– C'est Rachel qui l'a recouvert pour moi.

– Oh, Rachel... tout ce qu'elle fait, elle le fait parfaitement.

– Je sais, dis-je.

Alison sortit ses affaires de son sac en toile : une pierre gris-bleu, un rouleau de scotch, un bloc avec des autocollants dessus, un stylo Bic, un brillant à lèvres au goût de cerise et un petit cadre avec une photo. Et puis elle remit tout dans son sac, mais elle garda la pierre. Elle me la passa.

– C'est ma préférée, dit-elle.

La pierre avait gardé la douce chaleur de la main d'Alison.

Quand la cloche sonna, une femme entra dans notre classe. Je fus vraiment étonnée quand elle dit :

– Bonjour les enfants. Je suis Natalie Remo, votre professeur principal.

Je m'attendais à voir quelqu'un de jeune, vingt-quatre ans environ, avec des cheveux courts et bruns... quelqu'un d'un peu trop gros, comme moi. Mais Mme Remo a à peu près le même âge que ma mère, trente-huit ans, et elle est noire. Elle portait un tailleur. Quand elle enleva sa veste, je remarquai que la doublure était assortie à son chemisier. Elle avait aussi des boucles d'oreilles en or qu'elle enleva et posa sur son bureau.

– Il fait encore chaud dehors, dit-elle en s'éventant avec un bloc de feuilles jaunes. On se croirait plutôt en été qu'en automne. (Elle fit le tour de la classe pour ouvrir les fenêtres.) Voilà... c'est mieux. (Et elle fit de nouveau face à la classe.) J'espère que vous avez tous reçu ma carte.

Personne ne dit un mot.

– Vous avez reçu ma carte ?

Tout le monde marmonna : « Oui. »

– Bien, dit Mme Remo. Bienvenue au collège J.E. Fox.

J'ai appris que notre école tient son nom de John Edward Fox. On raconte que ce fut le premier directeur du collège, mais il est mort juste avant l'ouverture de l'école.

– J'enseigne les maths, dit Mme Remo. Alors la plupart d'entre vous m'auront comme professeur de maths.

Personne ne dit un mot.

– Bon... continua Mme Remo. Soit vous êtes encore endormis, soit vous êtes un peu effrayés par le collège. Mais je crois que vous vous sentirez beaucoup mieux à la fin de la journée. Quand vous serez habitués à changer de salles de cours, vous vous détendrez.

Personne ne dit un mot.

Mme Remo nous sourit.

– D'accord... Voyons les présences aujourd'hui.

Elle appela nos noms par ordre alphabétique. Amber Ackbourne était la première. C'est toujours la première.

Quand Mme Remo arriva à mon nom, je levai la main et dis : « Ici ». C'est alors qu'Eric Macaulay murmura : « Hershey Bar ». J'essayai de lui donner un coup de pied, mais je manquai mon but et je frappai dans le pied de ma chaise. Je me fis tellement mal que je grognai.

– Oui, Stéphanie ? Tu as quelque chose à dire ? demanda Mme Remo.

– Non, dis-je, et Eric Macaulay rit.

Quand elle arriva à Alison, Mme Remo prononça son nom de famille : « Mon-Se-U ».

Alison la corrigea.

– Ça s'écrit M-o-n-c-e-a-u, dit-elle. Mais ça se prononce « Mon So » C'est un nom français.

– Bien sûr, dit Mme Remo. J'aurais dû le savoir.

Tout le monde se retourna pour regarder Alison. Alison resta assise sans bouger, comme si elle ne remarquait rien, mais je la vis serrer sa pierre préférée dans sa main.

Après, on nous distribua nos numéros de casiers et on nous donna nos emplois du temps. Et puis Mme Remo nous dit que quand la cloche sonnerait, nous devrions aller en rangs à notre premier cours. Quand nous entendîmes la cloche, nous sautâmes sur nos pieds pour courir à la porte.

– En rangs... nous rappela Mme Remo.

Rachel était déjà dans le couloir à m'attendre.

– Eh bien... dit-elle. Regardons nos emplois du temps.

Je lui tendis le mien. Je vis à son expression que les nouvelles n'étaient pas bonnes et elle dit :

– Je n'arrive pas à y croire ! Nous n'avons aucun cours ensemble. Pas un seul !

– Montre, dis-je, en prenant son emploi du temps et le mien pour les comparer. Regarde. Nous sommes toutes les deux au premier service à la cantine et nous avons gym ensemble.

– La gym, grimaça-t-elle. La belle affaire !

J'étais désolée pour Rachel parce que Alison, Miri Levine et moi nous avions les mêmes cours d'anglais, de maths et d'études sociales. Rachel avait maths maintenant, avec Mme Remo. Je lui dis :

– Tu as de la chance. Elle est bien.

– Pousse-toi de mon chemin, Hershey Bar ! dit Eric Macaulay en me poussant.

– Fais attention, lui dis-je.

– Fais attention toi-même. Je dois aller à mon cours de maths... si je réussis à trouver la salle 203.

– C'est *ici* la salle 203, lui dit Alison.

Il leva la tête pour regarder le numéro de la salle.

– Hé, tu as raison. J'ai cours de maths ici, juste dans ma classe.

– Oh non ! grogna Rachel. Je suis dans *son* cours de maths. Ça ne pouvait pas être pire.

– Si, lui dis-je.

– Tu connais ton problème, Stéphanie ? dit Rachel.

– Non, lequel ?

– Tu es une éternelle optimiste.

– Qu'est-ce que ça veut dire optimiste ?

– Eh bien, cherche !

Dès que je fus en cours d'anglais, je cherchai optimiste dans le dictionnaire. *Optimiste : quelqu'un qui a une disposition ou une tendance à considérer le meilleur côté des choses et à anticiper le résultat le plus favorable.* Eh bien, pensai-je, qu'est-ce qu'il y a de mal à ça ?

6
L'histoire de Maizic

Cet après-midi-là, dans le bus scolaire, Rachel fut bien obligée d'admettre que le collège n'était pas si terrible que ça. Elle connaissait certains élèves de sa classe depuis l'année dernière et une autre, Stacey Green, qu'elle avait rencontrée en classe de musique.

– Tu vois ? Je t'avais dit que tout s'arrangerait. L'Eternelle Optimiste a encore raison.

Rachel leva les sourcils.

– Optimiste, dis-je, *quelqu'un qui a tendance à considérer le meilleur côté des choses.*

– Tu m'impressionnes, dit Rachel.

Le garçon au blouson chartreuse était assis derrière nous dans le bus. Je l'entendis parler d'une aile gauche au garçon à côté de lui, mais je ne savais pas s'il parlait d'un oiseau ou d'un avion.

En sortant du bus, Alison nous demanda de venir chez elle.

Rachel dit :

– J'ai une leçon de flûte à quatre heures et demie.

– Tu joues de la flûte ?

– Oui.

– Et tu joues bien ? demanda Alison.

Je ris. Alison ne savait pas encore que tout ce que fait Rachel, elle le fait bien.

– C’est presque une professionnelle, dis-je à Alison.

– Je ne joue pas bien *à ce point-là*, dit Rachel.

Alison regarda sa montre.

– Ecoute, il n’est que trois heures et demie... pourquoi tu ne viendrais pas un moment ? J’ai un chien qui parle.

Rachel me lança un long regard. J’étais censée ne parler de Maizie à personne, alors j’espérais qu’elle ne me trahirait pas.

– Tu as un chien qui parle ? demanda Rachel.

– Hum hum, dit Alison.

– Bon... dit Rachel. J’imagine que je peux passer, juste un moment.

Maizie nous accueillit à la porte de la cuisine en agitant son petit derrière de côté et d’autre et en sautant en l’air. Alison posa ses livres sur la table de la cuisine et prit Maizie dans les bras. Elle mit son visage contre celui de Maizie.

On aurait dit qu’elles parlaient — en français, je suppose — mais c’était difficile à comprendre parce que Alison parlait tout bas. Maizie hochait la tête, poussait de petits grognements et aboyait de temps en temps.

Rachel paraissait sceptique en les regardant toutes les deux. C’est elle qui m’a appris ce mot : sceptique. Ça veut dire se poser des questions ou douter de quelque chose.

– Qu’est-ce qui se passe avec Maizie ? demandai-je à Alison.

Alison posa Maizie par terre et gloussa.

– Elle m’a raconté une drôle d’histoire.

– Quelle histoire ? demanda Rachel.

– Je ne sais pas si c’est vrai, dit Alison, servant

trois verres de jus de raisin et posant une boîte de biscuits apéritifs sur la table.

– Raconte quand même, dit Rachel en prenant une poignée de biscuits.

– Bon... commença Alison.

Elle nous raconta que son beau-père, Léon, avait promené Maizie dans les bois. En marchant, Léon avait glissé sur une branche et il était tombé dans le ruisseau. Il était trempé et Maizie avait trouvé ça très drôle.

– C'est toute l'histoire ? demanda Rachel.

– Oui. (Alison me regarda.) Mais bien sûr, il se peut que Maizie l'ait inventée. Parfois, quand elle s'ennuie, elle reste assise là à inventer des histoires.

Rachel n'était toujours pas convaincue et Alison le voyait bien.

– Je pense qu'on devrait demander à Léon si c'est vrai, dit Alison.

Alison appuya sur le bouton de l'interphone. Toutes les maisons ont un interphone à Palfrey's Pond. Le nôtre ne marche pas, mais quand Papa rentrera, il le réparera certainement.

– Bonjour Léon... dit Alison. Je suis rentrée.

– Je descends, répondit une voix d'homme.

Dans la minute qui suivit, Léon descendit les escaliers et entra dans la cuisine. Il était grand et presque chauve.

– Bonjour Citrouille, dit Léon à Alison en lui ébouriffant les cheveux.

Citrouille ? c'était un drôle de nom, pensai-je.

– Voilà mon beau-père, Léon Wishnik, dit Alison en nous présentant.

Léon sourit. Il avait de très belles dents. Je remarque les dents de tout le monde. Maman dit que c'est parce que je porte un appareil. Elle dit qu'une fois que je l'aurai enlevé, je m'intéresserai moins aux dents. Mais Papa dit que si ça me passionne tant, ça peut signifier aussi que je veux devenir dentiste.

– Enchanté de te rencontrer, Rachel, me dit Léon.

– Non, moi c'est Stéphanie, lui dis-je

Il rit.

– Bon, enchanté de *te* rencontrer, Stéphanie. Et enchanté de te rencontrer également, Rachel.

Léon enleva le couvercle du plat qui était sur le feu pour remuer. Ça sentait bon.

– Maizie m'a raconté votre promenade, dit Alison à Léon. C'est vrai... tu as vraiment glissé et tu es tombé dans le ruisseau ?

Léon se détourna de la gazinière et agita le doigt devant Maizie.

– Je t'avais demandé de ne raconter cette histoire à personne, lui dit-il.

Maizie courut se cacher sous la table.

– Alors c'est vrai ? demanda Alison.

– Oui, dit Léon. Mes chaussures sont fichues.

– Est-ce que vous êtes en train de dire que votre chien parle *vraiment* ? demanda Rachel à Léon.

Je la fixai du regard. Elle avait baissé le ton de sa voix d'une octave et elle parlait exactement comme sa mère. Je voyais que Léon était impressionné. Ce soir-là, quand ils seraient à table, Léon dirait probablement à Alison : *Cette Rachel... elle est vraiment mûre pour son âge*. Il ne saurait pas que le matin, elle tremblait de peur à l'idée d'entrer au collège.

– Oui, dit Léon en soupirant. Maizie parle... et souvent elle parle trop. (Il reposa la cuillère en bois dans la saucière.) Il faut que je retourne travailler maintenant. J'ai été content de vous rencontrer, Stéphanie et Rachel.

– Nous aussi, répondîmes-nous en chœur.

Rachel avait encore une poignée de biscuits apéritifs en main qu'elle suçait l'un après l'autre. Elle aime bien sucer le sel sur les biscuits jusqu'à ce qu'ils deviennent tout mous.

Alison demanda si nous voulions voir sa chambre.

– Mais je vous préviens... elle est incroyablement laide.

⁂

– Alors, qu'est-ce que tu en penses ? demandai-je à Rachel en partant de chez Alison.

– Visiblement, elle n'est pas très sûre d'elle, dit Rachel. C'est pour ça qu'elle raconte cette histoire de chien qui parle.

– Mais Maizie parle, dis-je. Tu as entendu ce que Léon a dit.

– Tu es tellement crédule, Steph ! dit Rachel. Mais je suppose que ça fait partie de ton charme.

Je ne savais pas ce que voulait dire crédule, mais je n'avais aucune envie de le lui demander, alors je hochai simplement la tête et je répondis :

– C'est de famille !

Rachel me lança un de ses regards sceptiques et puis elle ajouta :

– Bon... je crois que nous devrions l'aider à s'intégrer. Je pense que nous devrions essayer d'être ses amies.

– Je le crois aussi, dis-je.

7
Bruce

La maîtresse de Bruce en CM1 est Mme Stein. Je l'ai eue, moi aussi, mais, à l'époque, elle enseignait les CE2.

– Elle se souvient de toi, Steph... dit Bruce au petit déjeuner le vendredi. Elle a dit que tu étais seconde en lecture.

Il prit la boîte de céréales Cheerios au bout de la table.

– Rachel était première, lui dis-je en beurrant mon toast.

J'aime bien que mes toast soient très cuits. J'essaie de les enlever du grille-pain juste avant qu'ils ne soient complètement brûlés et fichus.

– Mme Stein a dit qu'elle se souvenait aussi de Rachel, dit Bruce.

– Les professeurs de Rachel se souviennent toujours d'elle, dis-je.

En CE2, Rachel a commencé à lire le même genre de livres que sa sœur, Jessica, devait lire pour son cours d'anglais de cinquième. Mais quand nous devions parler des livres en classe, Rachel ne parlait jamais de ces livres-là. Elle choisissait plutôt un livre qui, à son avis, plairait à un élève normal de CE2.

En CM2, tout le monde savait que Rachel était

intelligente, mais elle n'aimait pas que les professeurs en fassent toute une affaire. En cours de maths, elle se levait pour aider les élèves qui ne comprenaient pas. Notre maîtresse de CM2 disait même que Rachel était son assistante.

⁂

J'étais assise à la table de cuisine en train de finir mon toast et de penser à Rachel quand Maman ouvrit un tiroir de la cuisine et dit :

– Oh non !

– Tu as vu une souris ? demandai-je.

Maman referma le tiroir en le claquant.

– J'abandonne ! dit-elle. Elles mangent le beurre de cacahuètes qu'il y a sur les pièges, mais elles ne se font jamais prendre. Je vais devoir appeler M. Kravitz.

– Qui c'est ? demanda Bruce.

– Le dératiseur, dit Maman. C'est lui qui nous a acheté la maison jaune.

– Je ne savais pas que nous avions vendu la maison à un dératiseur, dis-je. Je pensais que M. et Mme Kravitz avaient un magasin de chaussures.

Maman éclata de rire.

– D'où tiens-tu cette idée ?

– Je ne sais pas.

– Eh bien, M. Kravitz est dératiseur, dit Maman.

⁂

Ce soir-là, Tante Denise demanda à Maman d'aller au cinéma avec elle. Maman et Tante Denise sont sœurs, mais elles sont aussi meilleures amies

J'aimerais bien avoir une sœur, même si Rachel dit qu'elle ne s'entend pas si bien que ça avec sa sœur Jessica. Maman a deux sœurs, Robin et Denise. Maman est celle du milieu. Elle s'appelle Rowena.

– Je devrais peut-être appeler Mme Greco, dit Maman pendant le dîner.

– Je suis trop grande pour avoir besoin d'une baby-sitter, lui dis-je.

Mme Greco est la dame qui venait nous garder quand nous habitions dans la maison jaune. Maintenant, je pourrais être baby-sitter moi-même.

– Mais tu n'es pas trop vieille pour avoir de la compagnie, dit Maman.

– J'ai déjà Bruce.

Bruce sourit.

– Je lui tiendrai compagnie, dit-il comme si c'était son idée à lui. Moi, et les souris.

– Très drôle ! (Maman se versa une tasse de thé. Elle but quelques gorgées et puis elle dit :) Je vais vous dire... Si je rentre à la maison à minuit, vous pourrez rester seuls tous les deux... je veux dire, si ça se passe bien cette nuit. Mais si je reste dehors plus longtemps, vous aurez quelqu'un pour vous tenir compagnie.

– Tu veux dire quelqu'un comme Rachel ? demandai-je. Une compagnie comme ça ?

– On verra, dit Maman.

On verra, c'est toujours ce que dit Maman quand elle veut changer de sujet.

Dès que Maman fut partie, j'apportai le téléphone dans le garde-manger pour appeler Rachel. La salle qui sert de garde-manger est petite comme un placard, mais c'est le seul endroit dans cette maison où on peut téléphoner en privé. Il y a de la lumière et assez de place pour s'asseoir par terre, si on n'essaie pas d'allonger les jambes. Il y a aussi une odeur épicée agréable qui me donne toujours envie de manger, même si je viens de finir de dîner. Tout en parlant avec Rachel, je mastiquais une des barres de nougat caramélisé qu'un des clients de Maman lui avait rapportées d'Hawaii. Ensuite, j'essayai d'appeler Alison, mais sa ligne était occupée, alors j'allai au salon pour regarder la télé avec Bruce.

L'année prochaine, quand nous aurons le câble, nous pourrons capter MTV. Les voisins de Tante Denise ont déjà le câble, et mon cousin, Howard, regarde tout le temps MTV, même en faisant ses devoirs. Maman a dit qu'elle ne me permettrait jamais de faire mes devoirs devant la télé, et j'ai répondu : *on verra.*

Bruce alla se coucher à dix heures. Une des particularités de Bruce, c'est qu'il s'endort très vite, dès qu'il pose la tête sur l'oreiller. Comme moi.

J'allai à la salle de bains pour utiliser le jet d'eau sous pression après m'être brossé les dents. Et puis je me frottai le visage à l'eau et au savon. Certains soirs, je ne me lave pas le visage du tout. J'oublie toujours de demander à Maman si se frotter le visage empêche d'avoir de l'acné. En tout cas, je le frottai, jusqu'à ce qu'il devienne tout rose, pour me rattraper pour toutes les nuits où je suis trop fatiguée pour le faire.

Ensuite, je décidai d'appeler Papa. Je traversai le couloir pour aller dans la chambre de Maman et cherchai le numéro de Papa dans le petit carnet d'adresses qu'elle met dans le tiroir de sa table de nuit. Il y avait également une lampe de poche et du beurre de cacao.

Je composai le numéro de l'appartement de

Papa. Le téléphone sonna trois fois avant que le répondeur téléphonique ne se déclenche avec la voix de Papa qui disait : *Vous êtes bien chez Steve Hirsch. Je ne suis pas là pour le moment mais laissez un message...*

– Bonjour Papa, dis-je, après le bip sonore. C'est Stéphanie. Je voulais simplement te dire bonsoir.

Je retournai dans ma chambre. La maison était vraiment silencieuse. Je voyais la demi-lune par ma fenêtre, elle éclairait le poster de Benjamin Moore. *Bon, Benjamin*, pensai-je en entrant dans mon lit. *Il n'y a que toi et moi ce soir. J'aimerais que tu sois réel. J'aimerais que tu descendes du plafond pour me souhaiter une bonne nuit en m'embrassant. Tu as l'air de très bien savoir embrasser.*

Je me retournai de l'autre côté et m'endormis. Je dormis jusqu'à ce qu'un bruit effrayant me réveillât. Je m'assis sur mon lit, le cœur battant. Et puis je courus dans le couloir jusqu'à la chambre de Maman, mais elle n'était pas encore rentrée. Je pris la batte de base-ball sous son lit. Elle la met là quand Papa n'est pas là, au cas où... Je regardai l'horloge : onze heures vingt, je n'avais même pas dormi une heure. J'écoutais pour voir s'il n'y avait pas d'autre bruit et je me demandai s'il fallait appeler la police ou un voisin, mais tout ce que j'entendis ce fut Bruce qui pleurait et réclamait Maman. Je courus jusqu'à sa chambre, la batte de base-ball à la main, et c'est là que je compris qu'il ne se passait rien de terrible dans la maison. C'était simplement Bruce qui faisait un cauchemar.

Je m'assis au bout de son lit. Il jeta ses bras autour de mon cou, en sanglotant. Je le tins serré contre moi. Je ne le prendrais jamais dans mes bras en plein jour, et lui ne me laisserait jamais faire. Mais cette nuit, il avait le visage chaud et mouillé de larmes. Il sentait le chiot.

– Comme d'habitude ? demandai-je.

– Oui... Je l'ai vue, dit-il, en respirant fort comme s'il manquait d'air. J'ai vu la bombe... elle était en argent... elle avait la forme d'un ballon de football... qui tournait dans le ciel. Quand elle est arrivée au-dessus de la maison, elle a commencé à descendre... juste en plein milieu... et puis il y a eu un éclair de lumière... et puis j'ai entendu l'explosion.

– Tout va bien, lui dis-je. C'était juste un cauchemar.

– Elle arrive, dit Bruce. La bombe arrive...

– Mais elle ne tombera pas cette nuit, lui dis-je en lui caressant les cheveux. (Ses cheveux étaient doux et humides au bout.)

– Comment tu le sais ?

– Je le sais, c'est tout. Ça ne sert à rien de s'inquiéter maintenant.

– Ça pourrait être la fin du monde, dit Bruce en haussant les épaules ?

– Ecoute, lui dis-je, si ça arrive, ça arrive. Je n'aime pas penser à la fin du monde ou à la bombe, alors je n'y pense pas. Je réussis facilement à me chasser les idées noires de la tête. C'est pour ça que je suis optimiste.

Je m'allongeai sur le lit de Bruce et le tins serré contre moi jusqu'à ce qu'il s'endorme. Ce qu'il y a de bien avec ses cauchemars, c'est qu'il n'en a jamais plus d'un seul par nuit. C'est comme s'il avait tout simplement besoin qu'on lui dise que la fin du monde n'était pas encore arrivée.

Je suppose que je me suis endormie en tenant

Bruce contre moi, parce que bientôt ma mère me secoua doucement et me murmura :

– Allez, Steph... retourne dans ton lit.

Elle traversa le couloir en me soutenant jusqu'à ma chambre.

– Il a fait un cauchemar, dis-je en dormant à moitié.

Maman me mit au lit et m'embrassa sur les deux joues.

⁂

Le matin suivant, quand j'arrivai dans la cuisine, Bruce était assis à table en train d'écrire une lettre

Je me servis un verre de jus d'orange.

– A qui écris-tu aujourd'hui ? demandai-je.

– Au Président, dit Bruce.

– Oh, au Président.

Je sortis un bol pour me servir des céréales.

– Tu devrais écrire, toi aussi, dit Bruce. Si tout le monde écrivait au Président, il serait obligé d'écouter. Tiens...

Bruce me tendit une feuille de son bloc.

– Pas pendant que je suis en train de manger, dis-je.

Je finis mes céréales, rinçai mon bol et puis apportai la boîte de beignets sur la table. Maman adore les beignets, mais depuis que nous avons déménagé, elle achète seulement des beignets sans parfum ou à la farine complète, sans colorant et sans conservateur. Maman n'en mange qu'un par jour parce qu'elle essaie de maigrir. Je regrette les beignets glacés, je regrette aussi les beignets au chocolat ou fourrés à la confiture.

– Maman va te tuer, dit Bruce.

– Pourquoi ?

– Parce que tu as mangé trois beignets.

Trois ? Je comptai ceux qui restaient dans la boîte. Il avait raison. Parfois, quand je mange, j'oublie ce que je suis en train de faire.

Je fis passer les beignets avec un autre verre de jus d'orange et puis je commençai ma lettre.

Cher Monsieur le Président,

Je pense vraiment que vous devriez faire plus pour vous assurer qu'il n'y ait jamais de guerre nucléaire. La guerre est stupide, et vous le savez bien. Mon frère, qui a dix ans, fait des cauchemars à ce sujet. D'autres enfants en font probablement aussi. Moi, je fais de jolis rêves. Mon amie Rachel dit que je suis une optimiste. Même si c'est vrai, je ne veux pas mourir, et aucun de mes amis ne veut mourir non plus. Pourquoi n'organisez-vous pas plus de réunions avec d'autres pays et n'essayez-vous pas encore plus de vous entendre ? Faites des traités. Faites-les durer cent ans, comme ça, pendant longtemps, nous n'aurions pas à nous inquiéter. Vous pourriez aussi vous débarrasser de toutes les armes atomiques du monde, et peut-être alors que Bruce, mon frère, pourrait enfin passer une bonne nuit.

Vôtre sincèrement,
Stéphanie B. Hirsch.

J'aime bien mettre l'initiale entre mon nom et mon prénom dans les occasions un peu solennelles. Le B veut dire Behrens. C'est le nom de jeune fille de ma mère.

Je tendis ma lettre à Bruce par-dessus la table. Il la lut.

– Ça parle des rêves, dit-il.

– Non, lui dis-je. C'est sur la guerre nucléaire.

– Mais il y a beaucoup de choses sur les rêves.

– Et alors... Qu'est-ce qu'il y a de mal à ça ? Si *tu* n'avais pas de cauchemars sur la guerre nucléaire nous ne serions pas en train d'écrire au Président, hein ?

– Je ne sais pas, dit Bruce. Et tu n'as pas fait de paragraphes non plus.

– Je n'ai pas fait de paragraphes exprès, dis-je. (Ce n'était pas vrai, mais je n'allais certainement pas l'admettre devant Bruce.) Je trouve que cette lettre est remarquable. Je pense que le passage sur les traités qui durent cent ans est vraiment brillant.

– Dans cent ans, nous serons morts, dit Bruce avec un air sinistre.

– Comme tout le monde.

– Non... Les gens qui ne sont pas encore nés ne seront pas morts.

– Ça ne compte pas, dis-je. Tout les gens que nous connaissons seront morts dans cent ans.

– Je n'aime pas penser que je vais mourir, dit Bruce.

– Qui aime ça ? (Je lui passai la boîte de beignets.) Tiens, dis-je, prends-en un... Ça te fera du bien.

– Je n'aime pas ces beignets, dit-il, et surtout pas le matin.

8
Les samedis

Depuis que Papa est parti à Los Angeles, Maman nous emmène, Bruce et moi, au bureau avec elle le samedi. Elle a une agence de voyages en ville. Ça s'appelle Partir Loin. Tante Denise dit que la réussite professionnelle de Maman est remarquable. Elle dit aussi qu'elle espère que je lui ressemble. Je ne sais pas si je lui ressemble ou pas. Maman était grassouillette comme moi quand elle était jeune. Et nous avons toutes les deux des cheveux bruns et des yeux bleus, si ça veut dire quelque chose.

Je rappelai à Maman que, ce samedi, Rachel et moi allions faire des courses avec Alison, pour l'aider à acheter des choses pour sa chambre.

– Rachel dit que sa chambre telle qu'elle est maintenant est déprimante. C'est tout gris.

– Le gris est une couleur sophistiquée, dit Maman.

– Mais c'est tellement triste... Ça ne ressemble pas à Alison, lui dis-je. Alison est une fille très gaie.

– Elle te ressemble alors ? dit Maman.

– Je crois que oui. Je crois que nous allons vraiment bien nous entendre.

– Et Rachel ?

– Elle aussi veut devenir amie avec Alison. Elle

veut l'aider à se sentir bien ici. On a rendez-vous en face de la banque à une heure. D'accord ?

– Je pense qu'on peut s'arranger pour te donner ton après-midi, dit Maman. Mais essaie de faire tout ton possible ce matin.

– Tu sais bien que je travaille dur, dis-je.

Mon travail c'est de classer. C'est Craig qui m'a appris comment faire. C'est un des assistants à temps partiel de Maman. Il porte une boucle d'oreille en or et une moustache minable qu'il touche sans arrêt, comme pour s'assurer qu'elle est toujours là. Il veut écrire des guides de voyages sur des pays comme l'Afrique ou l'Inde, quand il sortira de l'université. Mais il n'a jamais été plus loin que dans le Maine.

Ce n'est pas difficile de classer si on connaît son alphabet. La seule chose dont il faut se souvenir, c'est qu'on classe du premier au dernier, ce qui veut dire qu'il faut mettre les dernières fiches à la fin du classeur et pas au début.

Alors que j'étais en train de classer, devinez qui entra à Partir Loin : Jérémy Dragon, le beau garçon du bus ! Il n'y a que Rachel et Alison qui connaissent le nom secret que je lui ai donné. Je l'ai appelé comme ça à cause de son blouson chartreuse avec « Dragon » dans le dos. Il le met tous les jours.

Il était avec deux amis. Eux aussi je les avais vus dans le bus.

– Je peux vous aider ? demanda Craig.

– Il nous faudrait des brochures, dit Jérémy Dragon, pour faire un dossier à l'école.

– Servez-vous, dit Craig.

– On peut en prendre combien ? demanda un des amis de Jérémy.

Je courus vers eux.

– Et si vous en preniez cinq ? dis-je.

Jérémy et ses deux amis me regardèrent. Craig aussi me regarda.

– Tu n'es pas censée classer les fiches, toi ? me demanda Craig.

– Dans une minute, lui dis-je.

J'espérais qu'il irait faire quelque chose d'autre, mais comme il ne saisissait toujours pas l'allusion, je lui dis :

– *Je* vais m'occuper *moi-même* de cette affaire, Craig.

J'avais souvent entendu Maman lui dire ça.

Pour finir, Craig comprit ce que je voulais et s'excusa avant de repartir travailler à son bureau.

– Vous devriez essayer la Côte-d'Ivoire, dis-je à Jérémy en lui tendant une brochure. Et la Thaïlande... c'est un beau pays. (Je lui tendis cette brochure-là également.) Je vous recommande aussi l'Alaska... et puis, il y a le Brésil.

A chaque fois que je tendais une brochure à Jérémy, je touchais ses doigts et j'avais des picotements dans tout le bras.

– Nous préparons un dossier sur le marketing et la publicité, dit Jérémy, mais nous n'allons pas partir en voyage.

– Oh, dis-je, alors que ses amis prenaient plus de cinq brochures chacun. Et puis j'ajoutai rapidement :

– Si vous voulez partir un jour en voyage, c'est la meilleure agence de toute la ville. Elle appartient à ma mère, alors je suis bien placée pour le savoir !

– Nous nous en souviendrons, dit Jérémy.

Il me fit une sorte de signe de la main en sortant.

– Je m'appelle Stéphanie, lui criai-je, mais il ne m'entendit pas.

J'étais impatiente de raconter ma matinée à Rachel et Alison.

9
Gena Farrell

Voilà ce que nous avons acheté pour la chambre d'Alison : deux abat-jour, un édredon, une paire de draps à fleurs, quatre taies d'oreiller, trois posters et une boîte de punaises.

Nous avons fait des courses dans toute la ville, allant de magasin en magasin, jusqu'à ce que mes pieds me fassent mal. Rachel dit qu'il faut voir tout ce qu'il y a dans tous les magasins avant de prendre une décision. Elle prenait des notes sur ce qu'elle voyait et notait les boutiques. J'aurais bien aimé tomber à nouveau sur Jérémy Dragon, mais nous ne le rencontrâmes pas. A la fin, nous sommes retournées dans le premier magasin que nous avions vu, à Lits et Salle de bains. Je n'en revenais pas : Alison achetait tout ce qu'elle voulait. Même si les draps et les taies d'oreiller étaient en solde, ils étaient quand même très chers, mais Alison payait tout avec la carte American Express de sa mère.

– Tu veux dire qu'elle te donne sa carte de crédit, lui demandai-je, simplement comme ça ?

– Elle me fait confiance, dit Alison.

– Je sais, mais quand même... Est-ce qu'elle t'a dit combien tu pouvais dépenser ?

– On a défini ce dont j'avais besoin, dit Alison.

– Au moins, tu as trouvé quelques articles en solde, dit Rachel. Ma mère achète tout en solde. Et tu as acheté des choses de très bonne qualité. Il vaut mieux acheter les meilleures marques parce que ça dure plus longtemps.

Je ne suis pas forcément d'accord. Prenons mon sweat-shirt à fleurs, par exemple. Si j'avais acheté le plus cher, j'aurais été obligée de le mettre tant qu'il aurait été à ma taille. J'ai acheté un sweat-shirt moins cher, pour seulement la moitié, et quand il s'est déchiré dans la machine à laver quelques mois après, ça ne m'a rien fait.

– Venez demain matin chez moi, dit Alison, vers onze heures. Et vous m'aiderez à arranger ma chambre... d'accord ?

– Bien sûr, dis-je.

– Je vais rendre visite à ma grand-mère demain matin, dit Rachel, mais je devrais être rentrée vers midi.

La grand-mère de Rachel a eu une attaque au printemps dernier. Une fois, je suis allée la voir avec sa famille dans la maison de soins et j'étais vraiment triste parce qu'elle ne peut ni marcher ni parler. Rachel dit que sa grand-mère comprend tout ce qu'ils disent et qu'un jour elle sera peut-être capable de reparler. Moi, je ne sais pas. J'espère que ça n'arrivera jamais à Grand-Lola ou Papa Jack. Ça serait vraiment trop triste.

*
**

Le dimanche matin, je suis arrivée chez Alison à onze heures pétantes. Je sonnai à la porte et une femme vint m'ouvrir. Elle avait un jean et le tee-shirt rouge et blanc que portait Alison le jour où je l'avais rencontrée. Elle avait l'air très gentil.

– Bonjour, dit-elle. Je suis la mère d'Alison. Tu es Stéphanie ?

– Oui.

– Alison est dans sa chambre. Tu peux monter...

Je commençai à monter les escaliers. Et puis la mère d'Alison cria :

– Merci d'avoir aidé Alison à choisir toutes ces belles choses hier.

Je m'arrêtai et me retournai vers le palier pour la regarder d'en haut. Je sais à qui elle ressemble, pensai-je. Elle ressemble à Gena Farrell, la vedette de la télé.

J'entrai dans la chambre d'Alison. Elle était en train de dérouler ses posters et de les étaler sur le sol.

– Salut, dis-je. (Maizie était sur le lit. Elle aboya en me voyant.) Bonjour Maizie. (Mais elle me tourna le dos quand je commençai à parler. Je suppose qu'elle n'avait pas envie de faire la conversation.)

– Ta mère ressemble beaucoup à Gena Farrel, dis-je à Alison.

– Je sais, dit Alison.

– Je suppose que tout le monde doit le lui dire.

– Oui, surtout que c'est Gena Farrell.

– Ta mère est *vraiment* Gena Farrell, la vedette de la télé ?

– Elle est actrice, dit Alison, pas vedette de la télé. (Elle tenait un poster de Bruce Springsteen contre le mur.) Qu'est-ce que tu en penses ?

– Je n'arrive pas à y croire ! dis-je. Ta mère est Gena Farrell et tu ne l'as jamais dit !

– Qu'est-ce que j'aurais dû dire ? demanda Alison, en prenant le deuxième poster. (C'était celui d'un gorille allongé sur un canapé.) Tu le trouves bien ici, ou tu crois que je devrais l'accrocher au-dessus de mon bureau. ?

– Au-dessus de ton bureau, dis-je. Je n'arrive pas à croire que tu ne nous l'aies pas dit !

– Est-ce que ça aurait changé quelque chose ?

Alison posa les posters sur son lit.

– Non, dis-je, mais...

– Mais quoi ?

Maintenant elle me regardait droit dans les yeux en attendant que je dise quelque chose.

– Rien...

– Descends, Maizie !

Alison la fit descendre du lit.

Maizie grogna.

– Elle ne supporte pas que les gens se répandent en compliments sur ma mère, dit Alison. Elle essaie toujours de les mordre. Tu n'imagines pas le nombre de reporters qu'elle a essayé de mordre.

– Vraiment ?

– Oui, dit Alison, en sortant l'édredon de son sac en plastique. Donne-moi un coup de main pour l'étaler sur mon lit.

Il y avait de minuscules boutons de roses sur l'édredon, et les abat-jour (c'était mon idée) étaient faits dans le même tissu. Rachel avait dit que les abat-jour n'étaient pas indispensables et qu'ils étaient trop chers de toute façon, mais Alison les avait achetés quand même. J'avais cru que c'était pour me faire plaisir parce que Rachel avait choisi tout le reste. Mais maintenant que je savais que la mère d'Alison était Gena Farrell, je n'en étais plus si sûre. Je veux dire que Gena Farrell est célèbre et qu'elle doit être très riche !

J'aidai Alison à accrocher ses posters. J'aurais mieux fait de prendre des punaises moi aussi quand j'avais accroché les miens. Ça n'enlève pas la peinture du mur et ça fait des trous si minuscules que personne ne les remarque.

Quand nous eûmes fini, Alison dit :

– Tu sais jouer au Réflexe ?

– Comme les réflexes ? demandai-je.

Alison rit.

– Le Réflexe, c'est un jeu de cartes.

– Il y a un jeu de cartes qui s'appelle comme ça ?

– Oui.

Alison ouvrit le tiroir de son bureau et en sortit un jeu de cartes.

Elle les mélangea, les divisa en deux tas et puis elle m'expliqua les règles du jeu.

Au moment où Rachel arriva, Alison et moi étions en plein milieu d'une partie et nous ne pouvions plus arrêter de rire.

– Nous jouons au Réflexe, dis-je à Rachel.

– Au quoi ? dit Rachel.

– C'est un jeu de cartes.

– Tu veux que je t'apprenne ? demanda Alison à Rachel.

– Non... dit Rachel. Je suis venue pour t'aider à arranger ta chambre mais je vois que tout est déjà fait.

Alison rassembla les cartes et mit un élastique autour.

– Ça fait un effet super hein ? demandai-je à Rachel.

– Oui, vraiment, dit Rachel. Ça ressemble à un jardin de fleurs. Je devrais peut-être devenir décoratrice d'intérieur.

– Tu as reconnu la mère d'Alison ? demandai-je à Rachel.

– Non, j'aurais dû ?

– C'est Gena Farrell, dis-je.

Maizie commença à aboyer.

– Qui est Gena Farrell ?

– La mère d'Alison.

– Ça, j'ai compris, dit Rachel. Ce que je n'ai pas compris, c'est *qui* est Gena Farrell ?

– La vedette de la télé, dis-je.

– L'actrice, me corrigea Alison.

– L'actrice, répétai-je. Tu sais bien... elle joue dans *Canyon Crossing*.

Maizie sauta du lit et commença à me mordiller les pieds.

– Arrête, lui dis-je.

– Je t'avais prévenue, dit Alison.

– Je n'ai jamais vu *Canyon Crossing*, dit Rachel.

– Mais si, tu l'as vu... L'année dernière, nous l'avons regardé à la maison... plus d'une fois.

– Je ne m'en souviens pas.

– C'est fini maintenant, dit Alison. Maman tourne un nouveau feuilleton. Ça s'appelle *Franny on Her Own*. Mais ça ne passera pas avant février. Ils tournent à New York en ce moment et c'est pour ça que nous avons déménagé dans l'Est. C'est Léon qui écrit le feuilleton, c'est lui qui décide de ce qui va arriver à tous les personnages.

– C'est tellement excitant ! dis-je. Qu'est-ce que ça fait d'avoir Gena Farrell pour mère ?

– C'est la seule mère que j'aie jamais connue.

Alison empilait les livres sur son bureau.

– Mais elle est si célèbre ! dis-je.

Maizie grogna. Je me demandai si c'était vrai

qu'elle avait essayé de mordre les reporters qui posaient trop de questions.

– Ça ne compte pas qu'elle soit célèbre, dit Alison. Quand elle est à la maison, c'est ma mère et c'est tout. En plus, c'est simplement son travail et ça n'a rien à voir avec moi.

– Tu sembles équilibrée, dit Rachel. Pourtant, les enfants des vedettes ne sont pas censés être très équilibrés. Ils sont névrosés généralement.

– Ce n'est pas de ma faute si je ne le suis pas. Maintenant, est-ce qu'on pourrait changer de sujet, s'il vous plaît ?

Je regardai Rachel. Nous restâmes silencieuses toutes les trois pendant un moment. Et puis je dis :

– Quand tu étais petite et que tu vivais en France, est-ce que tu as mangé des cuisses de grenouilles ?

Alison rit.

– Même quand on change de sujet, toi tu continues à poser des questions !

– Stéphanie aime bien tout connaître de ses amis, dit Rachel en passant son bras autour du mien. Ça montre qu'elle aime bien les gens.

10
L'aile gauche

A l'école, la fenêtre des toilettes des filles du second étage donne sur le terrain de jeu. Je l'ai découvert lundi, à la fin de l'heure du déjeuner, quand j'ai regardé par hasard par la fenêtre. L'équipe de foot était en train de s'entraîner. Et qui donc était en train de jouer, si ce n'est Jérémy Dragon en personne ! Je suis descendue en courant à la cafétéria pour le dire à Rachel et à Alison. Et puis toutes les trois, nous sommes remontées à toute vitesse jusqu'aux toilettes des filles.

– Il joue à l'aile gauche ! dit Alison.

– Qu'est-ce que ça veut dire ? demandai-je.

– C'est sa position, dit Alison. Regarde... Il essaie de mettre un but !

Nous retînmes notre respiration. Mais il manqua le but !

Depuis, nous ne demeurons pas longtemps à la cafétéria. Dès que nous avons fini de manger, nous montons dans les toilettes des filles et nous passons le reste de la récréation à regarder par la fenêtre. Jérémy Dragon a les jambes poilues. Rachel nous a dit que ça prouvait qu'il avait de l'expérience.

– De l'expérience en quoi ? demandai-je.

– De l'expérience sexuelle, dit Rachel.

– Vraiment ? Comment tu le sais ?
– Je l'ai lu.
– Jusqu'où il est allé, à ton avis ? demanda Alison.
– Loin, dit Rachel.
– Jusqu'au bout ? demanda Alison.
– C'est possible, dit Rachel.
– Simplement parce qu'il a les jambes poilues ? demandai-je.
– Ça et d'autres choses, dit Rachel.
– Quoi ?
– Je pense que ce que Rachel veut dire, m'expliqua Alison, c'est que son corps est très développé.
– Eh bien, celui de Rachel également, dis-je. Elle a de la poitrine et elle a déjà ses règles.
– Vraiment ? demanda Alison à Rachel. Tu as tes règles ?
– Oui, dit Rachel. Depuis que je suis en CM1.
– Moi, je n'ai pas encore les miennes, dit Alison.
– Steph non plus, dit Rachel.
– Et c'est bien ce que je veux dire, lui dis-je. *Ton* corps est développé et tu n'as jamais eu d'expérience sexuelle. Tu n'as même jamais embrassé un garçon.
– Jérémy Dragon est en quatrième, dit Rachel. J'espère que j'aurai embrassé un garçon quand je serai en quatrième.
– Moi, j'ai déjà embrassé deux garçons, dit Alison.
Rachel et moi la regardâmes.
– De vrais baisers ? demandai-je.
– Oui.
– Quand est-ce que ça s'est passé ? demanda Rachel.
– L'année dernière. J'en ai embrassé un sur la plage et l'autre dans la cour de récréation à l'école.

– C'étaient des garçons de quel âge ? demanda Rachel.

– Le même âge que moi. Ils étaient en CM2.

– Embrasser un garçon de CM2 ce n'est pas la même chose qu'embrasser quelqu'un comme Jérémy Dragon, dit Rachel. Embrasser Jérémy Dragon, ça doit être une autre histoire.

Alison regarda par la fenêtre. Après une minute de silence, elle dit :

– Je vois ce que tu veux dire.

11
M. Kravitz

M. Kravitz, le dératiseur, est venu chez nous dans un camion blanc sur la porte duquel était écrit en petites lettres : *KRAVITZ-DEPUIS 1967.* Il portait une combinaison bleu foncé avec « *Ed* » cousu sur la poche. Il avait un chien marron et noir, un beagle je crois, et il a emmené son chien avec lui dans la maison.

– C'est Henry, dit M. Kravitz. Il a été spécialement dressé pour dénicher les termites.

– Mais nous n'avons pas de termites, lui dit Maman. Nous avons des souris.

M. Kravitz regarda son agenda.

– Oh, c'est vrai. Il rit et secoua la tête. Eh bien, Henry n'est pas un mauvais détecteur de souris non plus, enfin, pour un chien.

M. Kravitz et Henry allèrent avec Maman dans la cuisine. Et puis, comme si elle venait de se rappeler que j'étais là, elle dit :

– Voilà ma fille, Stéphanie.

– Comment vas-tu, Stéphanie ? dit M. Kravitz.

– C'est M. Kravitz qui a acheté notre ancienne maison jaune, me rappela Maman.

– Je sais, lui dis-je.

– Et nous en sommes vraiment contents, dit M. Kravitz.

– Ça me fait plaisir, dit Maman. Eh bien... Je vais vous laisser faire votre travail, M. Kravitz. J'espère que vous pourrez résoudre notre problème.

– Je ferai de mon mieux, dit M. Kravitz.

Maman monta pour travailler sur son ordinateur qu'elle avait installé dans sa chambre à coucher. Moi, j'allai me servir un verre de jus de fruit.

– Vous utilisez des pièges? demandai-je à M. Kravitz.

– Non.

– Qu'est-ce que vous utilisez?

– Quelque chose d'autre.

– Quoi?

– Est-ce que ça fait une différence?

– Oui.

– Pourquoi?

– Parce que mon frère et moi, nous sommes opposés à la violence.

– Je n'utilise rien de violent.

– Qu'est-ce que vous utilisez alors?

M. Kravitz poussa un long soupir.

– J'utilise un produit qui les dissuade de revenir.

– Du poison? demandai-je.

– On n'appelle pas ça comme ça.

– Oh ! dis-je, en buvant mon verre de jus de fruit.

Et puis je me rappelai mes bonnes manières.

– Vous voulez un verre de jus de fruits?

– Non merci, dit M. Kravitz.

Son chien, Henry, était à l'intérieur du placard, sous l'évier, en train de renifler.

– Alors, qui dort dans mon ancienne chambre maintenant? demandai-je.

M. Kravitz était à l'intérieur du placard, qu'il inspectait avec une lampe de poche.

– C'est quelle chambre? dit-il. (Sa voix était assourdie.)

– En haut des escaliers, la première chambre à gauche, lui dis-je.

– Hmm... Ça doit être celle de mon plus jeune fils. Il est en quatrième au collège Fox.

– Vraiment, dis-je, en parlant plus fort. Je vais à Fox moi aussi. Je suis en sixième.

– Tu connais peut-être Jérémy, dit M. Kravitz.

– Jérémy?

– Oui, Jérémy Kravitz. C'est mon fils.

– Je ne connais qu'un Jérémy, dis-je. Et ce n'est pas votre fils. Il porte un blouson chartreuse avec un dragon sur le dos.

M. Kravitz sortit du placard.

– C'est *mon* blouson, dit-il en riant.

– Votre blouson?

– Dix-neuf cent soixante-deux, dit M. Kravitz en se relevant. C'était ma dernière année de collège.

– Est-ce que vous êtes en train de me dire que le garçon qui porte ce blouson avec un dragon sur le dos est votre fils?

– Oui.

– Il s'appelle Jérémy et il dort dans mon ancienne chambre?

– C'est ça.

– Excusez-moi, dis-je à M. Kravitz. Il faut que j'aille faire mes devoirs maintenant.

Il fallait surtout que j'appelle Alison et Rachel sur-le-champ! Je courus téléphoner dans le garde-manger.

J'appelai Rachel en premier.

– Tu ne vas pas me croire, commençai-je, mais... (Je lui racontai toute l'histoire.) Il faut que tu viennes immédiatement.

– Je suis en train de travailler ma flûte, dit Rachel.

– Rachel... dis-je, C'est de Jérémy Dragon dont nous parlons et son père se trouve en ce moment même dans ma cuisine.

– D'accord... dit Rachel. J'arrive dans quelques minutes.

Je n'ai pas dû insister pour convaincre Alison. Elle courut tout le long du chemin qui contourne l'étang et arriva à la maison à bout de souffle. Quand Rachel arriva à son tour, nous allâmes toutes les trois dans la cuisine et je les présentai à M. Kravitz.

– Vous êtes vraiment le père de Jérémy? demanda Rachel en prenant sa voix d'adulte.

M. Kravitz était en train d'étaler une poudre blanche à l'intérieur de nos placards.

– Est-ce que Jérémy vous a fait des ennuis? demanda-t-il en levant la tête vers nous. Est-ce que Jérémy a été impoli avec vous?

J'adore la façon dont les parents imaginent toujours le pire à propos de leurs enfants.

– Non, dis-je. Nous sommes curieuses, c'est tout, et il prend le même bus que nous.

– Et puis nous nous intéressons au blouson qu'il porte, dit Rachel. C'est un blouson assez original.

J'essayai d'attirer son attention, mais elle ne me vit pas.

– En fait, il pourrait avoir de la valeur chez un antiquaire, continua Rachel. Je le sais parce que ma tante, qui habite dans le New Hampshire, est antiquaire elle aussi.

– C'était son blouson, dis-je à Rachel en faisant des signes de tête en direction de M. Kravitz.

– Oh, dit Rachel. Je ne voulais pas vous blesser,

M. Kravitz. Je voulais simplement dire qu'un jour, ce blouson pourra être considéré comme une antiquité. Je ne voulais pas dire qu'il était si vieux que ça.

– Je ne suis pas blessé, dit M. Kravitz.

Henry continuait à renifler partout dans la cuisine.

– Est-ce que votre chien parle ? demandai-je à M. Kravitz.

– Henry communique, dit M. Kravitz, comme si ma question était tout à fait normale, mais il ne parle pas.

– Il n'y a qu'un chien sur dix-sept millions qui parle avec des mots, lui dis-je.

– C'est vrai ? demanda M. Kravitz.

Je ne lui dis pas que Maizie parlait. Ce n'étaient pas mes affaires. Si Alison avait envie qu'il le sache, elle pouvait le lui dire elle-même.

– Maintenant, les filles, finit par dire M. Kravitz, j'aimerais beaucoup passer plus de temps à bavarder avec vous mais j'ai du travail.

– Eh bien... ce fut un plaisir de vous rencontrer, M. Kravitz, dit Rachel.

– Pareil pour moi, dit Alison.

– Moi de même, dit M. Kravitz de l'intérieur d'un autre placard.

Nous sortîmes toutes les trois et courûmes jusqu'à l'étang.

– Est-ce que vous arrivez vraiment à croire que Jérémy Dragon dort dans mon ancienne chambre ?

– C'est trop bête que vous n'ayez pas vendu la maison avec les meubles, dit Rachel. Comme ça, c'est dans ton lit qu'il dormirait !

L'idée de Jérémy Dragon dormant dans mon lit me fit un drôle d'effet dans tout le corps.

– Tu rougis, Steph ! dit Alison.
– Ton visage est cramoisi ! chanta Rachel.
– Excusez-moi, dis-je, en marchant entre elles deux. Je crois que j'ai besoin de me calmer.
Je descendis jusqu'au bord de l'étang et pataugeai dans l'eau, en chassant les canards, qui s'écartaient de mon chemin.
Rachel hurla :
– Steph ! qu'est ce que tu fais ?
Et Alison cria :
– Steph ! sors de là !
– Ça fait du bien, chantai-je, en éclaboussant. Venez !
– Stéphanie ! cria Rachel. Ce n'est pas une piscine !
– Eh bien... qui donc est en train de nager ?
Elles n'arrivaient pas à croire que je m'étais baignée dans l'étang tout habillée. Ma mère non plus d'ailleurs, qui était dant la cuisine quand je rentrai à la maison.
– Stéphanie... que s'est-il passé ?
– Je ne voulais pas me mouiller, lui dis-je. Mais c'est arrivé comme ça, voilà !

12
Le rire de Papa

Papa téléphona d'Hawaii :

– Est-ce que les vagues sont immenses ? demandai-je.

– Je n'ai pas eu l'occasion d'aller à la plage.

– Papa ! Comment peux-tu être à Hawaii et ne pas aller à la plage ?

– Je suis ici pour travailler, Steph.

– Je sais... mais quand même...

– Je vais essayer d'aller à la plage demain. D'accord ?

– D'accord. Et envoie-nous des barres de nougat... avec des noisettes.

– Je ne pense pas que les barres de nougat soient bonnes pour ton appareil dentaire.

– Bon ! alors, envoie les coquillages que tu auras trouvés sur la plage... ou du sable.

– Je vais essayer, dit Papa. Alors, quoi de neuf à la maison ?

Je lui racontai la découverte de notre première souris morte.

– Maman l'a trouvée dans le placard, sous l'évier... Elle s'est presque évanouie... Alors j'ai attrapé la souris par la queue, je l'ai mise dans un sac en plastique et je l'ai jetée dans la poubelle.

Papa éclata de rire. J'adore le faire rire. Quand il rit, il ouvre grand la bouche et on voit ses plombages en or.

– Attends, je n'ai pas fini. Parce que je l'ai jetée dans la poubelle, mais j'ai oublié de remettre les ressorts qui tiennent le couvercle et, cette nuit-là, les ratons laveurs sont venus et ça a fait un vrai désastre ! Et devine qui a dû nettoyer... et devine qui a failli rater son bus ?

Papa ne pouvait pas arrêter de rire. Je suis celle de la famille qui réussis le mieux à le faire rire. Mais on rit moins au téléphone.

– Alors, quel temps fait-il ? demanda Papa pour finir.

– Il fait beau, lui dis-je. Ça va bientôt être l'automne.

13
Une excellente vision

Mme Remo porte des lentilles de contact. Elle nous en parle sans arrêt. Elle les a eues juste avant la rentrée des classes, donc ça ne fait que deux mois. Ce matin, elle s'est frotté les yeux, et puis elle a dit :

– Oh ! non... (Et elle nous a fait signe de rester tranquilles.) Je crois que j'ai perdu une lentille de contact. Quelqu'un peut-il venir m'aider à la trouver ?

Plusieurs mains se levèrent dans la classe.

Eric Macaulay cria :

– J'ai une vision parfaite, Mme Remo. Je vais vous la retrouver.

– D'accord, Eric, dit Mme Remo.

Eric repoussa sa chaise en arrière si fort qu'elle alla s'écraser contre mon bureau, en renversant les livres que j'avais empilés pour faire une pyramide. Il remonta la classe en courant.

– Fais attention où tu mets les pieds, Eric, dit Mme Remo. Les lentilles sont très fragiles. J'espère qu'elle est tombée sur mon bureau et pas par terre.

Mais Eric ne s'embêta même pas à regarder sur le bureau de Mme Remo. Il se mit debout tout près d'elle et il examina sa robe, en tricot de laine vert foncé à manches courtes. Il ne la toucha pas, mais la façon dont il la regardait devait la mettre mal à l'aise parce qu'elle rit nerveusement et dit :

– Que fais-tu, Eric ?

– J'essaie de trouver votre lentille, alors, s'il vous plaît, ne bougez pas.

J'aurais été très gênée si Eric Macaulay m'avait examinée comme ça de tout près, surtout la poitrine.

Mais Eric décrocha doucement quelque chose de la robe de Mme Remo, entre son épaule gauche et sa poitrine.

– Aha ! dit-il. Je l'ai ! (Il la tendit à Mme Remo pour qu'elle la voie.)

– Eh bien, Eric, dit Mme Remo en prenant la lentille entre deux doigts, tu dois avoir une vision excellente ! Comment savais-tu qu'elle était sur ma robe ?

– Ma mère porte des lentilles de contact, elle aussi, dit Eric. Quand elle croit qu'elle en a perdu une, elle est toujours accrochée à ses vêtements.

– Merci, Eric, dit Mme Remo.

La classe applaudit et Eric fit une révérence.

Alison se pencha dans l'allée et murmura :

– Il est si mignon !

Je fis une grimace. Eric est trop insupportable pour être mignon.

En revenant à son bureau, Eric s'arrêta à côté du bureau d'Alison.

– Tu portes des lentilles de contact, Poucette ?

Il l'appelle Poucette depuis la deuxième semaine d'école, mais ça n'a pas l'air de l'ennuyer.

– Non, lui dit Alison. Je vois aussi bien que toi.

– Dommage... dit Eric, parce que ça ne m'aurait pas dérangé de chercher tes lentilles.

Alison se mit à glousser et, une fois qu'elle a commencé, elle ne sait pas s'arrêter.

Aussitôt que Mme Remo eut remis sa lentille, elle leva un dépliant en l'air et dit :

– J'ai une annonce à faire à la classe. La vente de pâtisseries des sixièmes aura lieu dans une semaine à compter de lundi. Les premiers... (Elle s'interrompit et secoua la tête.) Bon ! Alison, calme-toi ou partage la plaisanterie avec nous.

Alison se couvrit la bouche des deux mains pour s'empêcher de rire aussi fort, mais je voyais bien qu'elle ne pouvait pas s'arrêter.

Mme Remo continua son annonce.

– Les premiers cent cinquante dollars serviront à offrir des paniers de nourriture aux nécessiteux. S'il y a de l'argent en plus, il reviendra au fonds d'activité des sixièmes. L'année dernière, les sixièmes ont gagné assez d'argent pour organiser une fête d'hiver.

Une fête d'hiver, pensai-je. Ça commençait à devenir intéressant.

– Alors... continua Mme Remo, il faut désigner un président de vente : quelqu'un qui notera qui cuisine quoi.

– Mme Remo, cria Eric en levant la main.

– Oui Eric ?

– Je nomme Peter Klaff président. Il est très organisé. Quand je serai candidat à la présidence, ce sera mon directeur de campagne.

Est-ce qu'Eric voulait être candidat à la présidence du collège Fox ou à la présidence des États-Unis ? Il ne le dit pas.

– Peter, dit Mme Remo. Tu aimerais être président de la vente ?

Tout le monde regarda Peter Klaff. Il est plus petit que moi et beaucoup plus maigre. Il a les cheveux blond clair et des cils et des sourcils assortis. Et puis, il a les oreilles décollées. Je crois que c'est de famille, parce que sa mère et sa sœur ont les mêmes oreilles. On voyait le rouge monter du cou de Peter à son visage. Et il ouvrait grand la bouche comme s'il n'avait pas assez d'air pour respirer. Il est tellement timide ! Mais il réussit quand même à répondre à la question de Mme Remo. Il dit :

– Oui.

Alors qu'Alison et moi traversions le couloir pour aller à notre premier cours, elle se mit à chanter une chanson qu'elle avait inventée à propos d'un garçon qui a une excellente vision.

– Alors ? demanda-t-elle quand elle eut fini.

Je fis semblant de me mettre le doigt dans la gorge pour vomir.

– Aussi mauvais que ça ?

– Non, dis-je. Pire !

Elle me donna un coup de hanche et nous éclatâmes de rire toutes les deux. Mais quand elle chanta cette chanson la fois suivante, je me surpris à la chantonner moi aussi.

14
Le débat

Rachel dit qu'elle est préoccupée par des choses beaucoup trop importantes pour faire de la pâtisserie. En effet, elle s'entraîne pour l'équipe de débatteurs de l'école et il n'y a que deux sixièmes qui vont en faire partie. Elle doit écrire un discours de cinq minutes et le prononcer devant tous les élèves, le même après-midi que la vente de pâtisseries.

– Quel est le sujet de ton discours ? demandai-je.

– Est-ce que le port de la ceinture de sécurité doit être imposé par la loi ou est-ce que ça doit être laissé à la décision personnelle ?

– C'est facile, dis-je. Ça doit être imposé par la loi.

– Il faut que je défende les deux opinions, expliqua Rachel, même si je ne suis pas d'accord avec l'une d'elles.

– C'est ridicule.

– Non ! Ça s'appelle un débat.

***

Quelques jours plus tard, j'allai chez Rachel en sortant de l'école. Je ne pouvais pas rester longtemps, parce que j'avais rendez-vous chez le dentiste à quatre heures et demie. Alison, elle, ne pouvait pas venir du tout, parce qu'elle avait une éruption de boutons sur le pied et Léon l'emmenait voir le Dr Klaff.

Rachel était désespérée par son discours.

– Regarde mes notes, dit-elle, en me montrant une pile de fiches bristol... J'ai travaillé dessus toute la nuit, jusqu'à dix heures.

– Ne t'inquiète pas tant, lui dis-je. Après tout, ça ne dure que cinq minutes.

– Est-ce que tu as une idée de combien durent cinq minutes ?

– Cinq minutes c'est cinq minutes.

– Je veux dire, ajouta-t-elle, est-ce que tu sais combien ça fait ?

– Combien ça fait ?

– Oui, dit-elle. Regarde, je vais te montrer. Reste-là... juste là où tu es...

J'étais debout au milieu de sa chambre à coucher.

– Ne bouge pas, dit Rachel.

– D'accord.

– Maintenant... dis-moi quand tu crois que les cinq minutes sont finies. Et ne regarde pas ta montre, dit-elle. A vos marques, prêts, partez...

Je restai très calme. Je ne bougeai pas, sauf pour me gratter la jambe. Burt et Harry étaient endormis sur le lit. Rachel était assise à son bureau, revoyant ses fiches. Je me demandai ce que faisait Alison chez le Dr Klaff. Alison dit que Peter Klaff m'aime bien. Elle dit qu'il me regarde sans arrêt et que c'est comme ça qu'elle l'a remarqué. Mais je ne suis pas sûre qu'elle ait raison. Quand Peter m'a demandé ce que j'allais apporter pour la vente de pâtisseries, je lui ai dit qu'avec Alison, nous allions faire des brownies selon une vieille recette de famille, mais il n'a pas semblé impressionné du tout.

***

Je regardai Rachel à nouveau. Elle était toujours à son bureau, en train de faire d'autres fiches.

– Voilà, dis-je. Les cinq minutes sont passées.

Rachel regarda sa montre.

– Ha ! Ça ne fait qu'une minute et vingt-quatre secondes.

– Je ne te crois pas !

– Je t'avais bien dit que cinq minutes, ça semblait long !

***

Ce soir-là, pour dîner, Maman m'a préparé une purée de carottes et une pomme de terre au four, parce que quand on vient de redresser mon appareil, je ne peux manger que des choses molles, de la nourriture en bouillie.

– Rachel s'entraîne pour l'équipe de débatteurs, dis-je, en écrasant du beurre sur ma pomme de terre. Elle doit faire un discours de cinq minutes sur le port de la ceinture de sécurité.

– Je suis sûre qu'elle fera un discours excellent, dit Maman.

– Moi aussi j'en suis sûre, mais elle est inquiète. Elle veut faire de son mieux.

– Elle est tellement perfectionniste, dit Maman.

– Je m'en ficherais, moi, que ça soit parfait ou non, dit Bruce.

– Tu veux dire que, toi, tu n'es pas parfait ? demandai-je.

– Très drôle ! dit-il.

– Et heureusement que tu ne l'es pas, dit Maman. C'est difficile à porter pendant toute une vie.

Je goûtai la purée de carottes. Même si ça faisait penser à de la nourriture pour bébé, c'était délicieux. Bruce me regardait manger.

– J'espère que je ne porterai jamais d'appareil, dit-il.

– C'est temporaire, lui dis-je. Un jour, j'aurai un sourire magnifique.

– Ton sourire peut-être... mais le reste ?

– Bruce ! dit Maman.

– C'est une blague, Maman, lui dit-il.

– Il aimerait tant me ressembler, dis-je.

Bruce gloussa tout seul.

Comme dessert, nous avions un gâteau à la vanille.

– J'ai envie de m'inscrire dans l'orchestre de l'école, annonçai-je en faisant glisser le gâteau dans ma bouche.

– Depuis quand tu joues d'un instrument ? demanda Bruce.

– Je m'entraîne aux percussions.

– Et depuis quand joues-tu de la batterie ? demanda Bruce.

– Mme Lopez dit que je pourrais apprendre... si j'ai un bon sens du rythme. (Je finis mon gâteau.) Est-ce que tu penses que j'ai un bon sens du rythme ? demandai-je à Maman.

– Quand tu étais petite, je te donnais un plat et une cuillère en bois et tu t'amusais avec pendant des heures. Si ça veut dire quelque chose, je dirais que oui, tu as le sens du rythme.

– Un plat et une cuillère en bois, répéta Bruce, en secouant la tête et en se remettant à glousser.

⁂

Quand Papa a appelé la fois suivante, je lui ai demandé s'il pensait que j'avais un bon sens du rythme.

Il dit :

– Tu t'amusais beaucoup avec un plat et une cuillère en bois quand tu étais petite.

– C'est exactement ce que Maman m'a dit.

– J'imagine qu'on se souvient de la même chose.

Je lui parlai de la vente de pâtisseries des sixièmes et je lui dis qu'Alison et moi, nous allions faire des brownies avec Sadie Wishnik.

– Qui est Sadie Wishnik ? demanda Papa.

– La mère de Léon.

– Qui est Léon ?

– Le beau-père d'Alison. Et tu sais qui est Alison, lui dis-je. C'est ma nouvelle amie.

– Donc Sadie Wishnik est sa belle-grand-mère ? demanda Papa.

– Je suppose que oui, dis-je. En tout cas, dimanche, nous allons chez Sadie pour faire de la pâtisserie. Elle habite dans le New Jersey, près de l'Océan. Et en parlant d'océan... merci pour la boîte de coquillages. Je n'en ai jamais vus d'aussi jolis. C'est toi qui les as trouvés ?

Papa hésita un moment.

– Tu veux la vérité ?

– Oui.

– Je ne suis jamais allé sur la plage. Je les ai achetés dans une boutique de cadeaux.

Je le savais ! J'aurais pu le dire à leur emballage. Mais je ne voulais pas que Papa soit gêné alors je dis :

– Tu iras peut-être sur la plage la prochaine fois.

– Peut-être.

– De toute façon, j'adore les coquillages !

– Ça me fait plaisir, dit Papa. Alors, quoi de neuf à l'école ?

Papa demande toujours ce qu'il y a de neuf à l'école. Je lui raconte ce que je crois qu'il veut entendre, mais je ne lui parle pas des garçons. Je ne crois pas qu'il comprendrait. Si je lui disais que Peter Klaff me regarde sans arrêt, il me dirait probablement : *Il ne sait pas que ça ne se fait pas ?* Et je n'allais certainement pas lui raconter que je regardais Jérémy Dragon jouer au foot. Papa ne comprendrait jamais.

– Et tes notes ? demanda Papa.

– Nous n'en avons pas encore.

Si Maman et Papa avaient un débat sur les notes, Maman dirait que ce qu'on apprend est beaucoup plus important que les notes qu'on a. Mais Papa répondrait que les notes sont une indication de ce qu'on a vraiment appris et permettent de voir si on sait se servir de ses connaissances. Moi, si je devais choisir un camp, je choisirais celui de Maman.

15
Les brownies de Sadie Wishnik

L'éruption de boutons sur le pied d'Alison s'appelle une « dermite de contact », ça veut dire que son pied est entré en contact avec quelque chose qui a causé l'éruption. Ce que je ne comprends pas, c'est comment un pied peut entrer en contact avec quelque chose et pas l'autre pied ? Le Dr Klaff lui a donné une crème et lui a dit de porter une chaussette en coton jusqu'à ce que l'éruption soit passée.

Dimanche matin, quand je suis arrivée chez Alison, elle m'attendait sur les marches de l'entrée. Rachel aussi était invitée à venir avec nous chez Sadie Wishnik, mais elle avait dit qu'elle devait rester à la maison pour travailler son discours. Je crois que la véritable raison, c'est qu'elle est malade en voiture.

Gena Farrell sortit de la maison, portant Maizie et un sac en paille. Elle avait des lunettes de soleil avec des verres comme des miroirs, les cheveux tirés en arrière et elle n'était pas maquillée. On n'aurait jamais pu dire qu'elle était célèbre. Léon la suivait et il ferma la porte derrière lui. Il avait le journal du dimanche roulé sous le bras.

Dès que nous fûmes en route, Gena sortit un travail de couture de son sac et commença à coudre.

– C'est joli, dis-je en essayant de mieux voir depuis le siège arrière. Qu'est-ce que ça va être ?

Gena enleva ses lunettes et se retourna pour me parler. Elle avait de grands yeux — bleu profond, comme la couleur du ciel par un magnifique jour de printemps. Elle tendit le tissu devant elle et l'étudia une minute avant de dire :

– Un oreiller, je crois.

– Maman s'est débarrassée de vingt oreillers au dernier Noël, dit Alison.

Gena éclata de rire.

– Je passe beaucoup de temps assise sans rien faire en attendant sur le plateau, dit-elle. Alors je fais de la couture. Ça me détend.

Je n'arrivais pas à croire que Gena Farrell me parlait à moi comme si nous étions toutes les deux des personnes ordinaires.

Il nous a fallu deux heures et demie pour arriver chez Sadie. Alison et moi avons joué au Réflexe pendant toute la route. Sadie habite un endroit appelé Deal, dans une grande et vieille maison blanche avec une coursive tout autour. Elle fait la cuisine bénévolement pour S.O.S. Cuisine. C'est un groupe de gens qui apportent des repas aux personnes trop vieilles ou trop malades pour se faire à manger. Léon sembla très fier en me racontant ça.

En entendant parler de Sadie, je pensais à mes grands-parents. Grand-Lola, qui m'a donné le médaillon contre les piqûres d'abeilles, n'est pas le genre de grand-mère à faire la cuisine. Elle est agent de change à New York. Elle porte des tailleurs et a des sacs à main assortis à ses chaussures. Une fois, j'ai compté ses sacs à main dans son placard : elle en avait vingt-sept. Maman dit que c'est parce que

Grand-Lola ne jette jamais rien. Papa Jack est agent de change lui aussi et il a un ulcère.

Les parents de mon père sont morts tous les deux. Ils sont morts à une semaine de distance. Je déteste penser que Maman et Papa vont vieillir et mourir un jour. Ça me fait peur. Alors j'ai chassé cette idée de ma tête.

Sadie nous attendait sur le porche. Quand elle vit la voiture s'engager sur le chemin, elle descendit les escaliers pour nous accueillir. C'est une dame très petite, avec des cheveux blancs et des yeux noirs, comme Léon. Elle portait un tailleur en coton rose. Elle embrassa Alison en premier.

– Ma petite-fille préférée, dit-elle en l'embrassant sur les deux joues.

– Ton unique petite-fille, dit Alison.

Et puis elle me présenta :

– Voilà Stéphanie, ma meilleure amie dans le Connecticut.

Je souris, surprise qu'Alison m'ait présentée ainsi.

Sadie me serra la main.

– Tous les amis d'Alison sont mes amis.

On sentait l'odeur de l'Océan depuis le porche de Sadie. Je respirai quelques grandes bouffées d'air pur. Sadie avait dû le remarquer parce qu'elle dit :

– L'Océan n'est qu'à trois pâtés de maisons d'ici. Il faudra y aller cet après-midi.

A l'intérieur, la table du déjeuner était dressée. Léon emmena Maizie se promener puis nous nous assîmes pour manger. Tout était délicieux. Il y avait quelque chose dans l'air salé qui me donnait vraiment faim.

Après le déjeuner, Alison et moi aidâmes Sadie à

faire la vaisselle. Et puis Sadie remonta ses manches et dit :

– Bon... Maintenant il est temps de se mettre au travail.

J'adore faire de la pâtisserie. Ce que je préfère c'est séparer le blanc de l'œuf du jaune. Tante Denise m'a appris comment faire sans briser les jaunes, mais on n'a pas besoin de séparer les blancs des jaunes pour les brownies.

– Mamie, dit Alison, quand nous eûmes mesuré, mélangé et divisé la pâte dans six grands plats à pâtisseries, tu ne crois pas qu'il faudrait écrire la recette pour la prochaine fois ?

– Il vaut mieux la garder ici, dit Sadie en lui tapotant la tête. Comme ça, si tu es à Tahiti un jour et que tu veux faire des brownies, tu n'auras qu'à m'appeler.

Nous glissâmes les plats dans les fours.

– Comme ça, dit Sadie, on aura cent vingt grands morceaux de brownies, et, si on les coupe en deux...

– Deux cent quarante, dis-je.

– Je ne crois pas qu'il faille les couper en deux, dit Alison, parce qu'on veut les vendre cinquante cents chacun. Et comme ça, on gagnera... euh...

– Soixante dollars, dis-je.

Sadie me regarda.

– Une mathématicienne ! dit-elle. Un véritable petit Einstein !

– Pas vraiment, lui dis-je, en me sentant rougir. C'est Rachel la mathématicienne. Elle n'a pas pu venir aujourd'hui parce qu'elle est malade en voi... (Je me retins juste à temps.) Elle n'a pas pu venir parce qu'elle devait travailler son discours.

– Si on gagne assez d'argent à cette vente de

pâtisseries, dit Alison à Sadie, les sixièmes pourront organiser un bal cet hiver.

– Un bal ! dit Sadie. J'adorais aller danser autrefois. Personne ne m'arrivait à la cheville pour danser la rumba. Je pouvais rivaliser avec les meilleurs danseurs. Et vous auriez dû voir comment je dansais le mambo, la samba et le cha-cha-cha... (Elle se mit à chanter et à danser dans toute la cuisine.) Allez... dit-elle, en nous tendant la main. Je vais vous apprendre.

– Je ne crois pas que nous allons danser la rumba à ce bal des sixièmes, dit Alison.

– On ne sait jamais, lui dit Sadie. Et comme ça, vous serez prêtes.

Sadie nous enseigna d'abord le pas de base. *Devant, sur le côté, ensemble. Derrière, sur le côté, ensemble.* Une fois qu'elle nous eut montré ce pas-là, elle nous apprit la rumba. Elle était sur le point de nous apprendre la samba, quand la minuterie du four retentit pour dire que les gâteaux étaient prêts. Sadie enfonça un cure-dent au centre de chaque plat pour s'assurer que les brownies étaient cuits et puis nous les posâmes sur la table pour les faire refroidir.

– Maintenant, dit Sadie, excusez-moi mais c'est l'heure de ma méridienne.

– De ta méridienne ? dit Alison.

– Je ne dis jamais sieste, expliqua Sadie. C'est pour les bébés.

Pendant que Sadie faisait la sieste, Alison et moi nous sommes allées à la plage avec Léon et Gena. Léon a tenu Maizie en laisse jusqu'à ce que nous soyons arrivés. Alors il lui a enlevé sa laisse et elle a couru dans une direction et puis dans l'autre.

Léon et Gena se sont assis sur la digue pour

regarder les vagues. Alison et moi avons enlevé nos chaussures et nos chaussettes.

– Et l'éruption de boutons sur ton pied ? demandai-je. Je croyais que tu devais garder ta chaussette.

– Je suis sûre que l'eau salée lui fera du bien, dit Alison.

Il y avait du vent sur la plage, mais aussi du soleil et il faisait chaud pour un mois d'octobre. Nous remontâmes le bas de nos jeans et courûmes au bord de l'eau, en riant. Les longs cheveux noirs d'Alison lui fouettaient le visage et j'aurais voulu que les miens se dépêchent de pousser. Maizie courait à côté de nous et nous regardait, comme pour dire : *Combien de temps allez-vous continuer à faire les imbéciles comme ça ?*

Je m'amusais beaucoup. J'aime bien être avec Alison. Je suis contente d'être son amie.

Maizie aboya.

– Est-ce que tu t'amuses aussi ?

Elle aboya à nouveau.

– Qu'est-ce qu'elle dit ? criai-je à Alison qui était devant moi.

– Rien, répondit Alison. Ce n'est qu'un chien.

– Qu'est-ce que tu veux dire ? demandai-je, en la rattrapant.

Alison se laissa tomber et Maizie se roula dans le sable.

– Tu crois vraiment que les chiens parlent ? demanda Alison.

– Seulement un sur dix-sept millions, dis-je, en m'asseyant à côté d'elle.

Alison éclata de rire et s'allongea sur le dos. Maizie lui sauta dessus.

– Tu veux dire qu'elle ne parle pas ?

Alison se protégea les yeux du soleil et me regarda :

– Tu m'as vraiment crue, hein ?

– Bien sûr que non, dis-je, en dessinant un visage sur le sable avec mon doigt. Je faisais semblant de te croire.

Alison s'assit. Du sable tomba de ses cheveux.

– Tu m'as *vraiment* crue !

– Je suppose que maintenant tu es sûre que je suis *crédule*, dis-je.

– Je ne sais pas ce que ça veut dire, dit Alison.

– C'est quand quelqu'un est facilement pris au piège, quand quelqu'un croit tout ce qu'on lui dit. Je le sais parce qu'une fois j'ai cherché la définition dans le dictionnaire.

– Je ne pense pas que tu sois comme ça, dit Alison. Je crois que tu me ressembles beaucoup.

Elle se battit un moment avec Maizie. Quand Maizie s'enfuit, elle dit :

– Je t'ai dit qu'elle parlait, parce que je voulais que tu m'aimes bien. Je voulais que tu deviennes mon amie.

– Nous sommes amies, dis-je.

– Meilleures amies ?

Je pris une poignée de sable.

– Rachel et moi sommes meilleures amies depuis le CE1, dis-je, en laissant le sable couler entre mes doigts.

– Tu veux dire qu'on n'a jamais plus qu'une seule meilleure amie à la fois ? demanda Alison.

– Non... Tu en as plus ?

– Bien sûr, presque une chaque année.

Je la regardai.

– Donc tu penses que nous pourrions être toutes les trois meilleures amies ?

– Bien sûr, dit Alison.

– Super !

– Mais ne parle pas de Maizie à Rachel, d'accord ? Je lui dirai moi-même... quand il sera temps.

– D'accord.

Je baissai la tête vers la digue où Léon et Gena étaient en train de s'embrasser.

16
La crème de la crème

Les brownies de Sadie furent un grand succès. Les élèves n'arrêtaient pas de demander :

– Qui les a faits ? C'est super ! Nous en avons gardé un pour Rachel. Elle était trop angoissée par son discours pour venir à la vente de pâtisseries.

Jérémy Dragon vint chercher un deuxième brownie, et puis un troisième. C'est Alison qui lui tendit les brownies et moi qui pris son argent. Comme ça nous l'avons touché trois fois chacune. Heureusement que chaque brownie était enveloppé parce qu'il avait les mains sales.

Même Mme Remo en a acheté un et quand elle l'a goûté, elle a dit :

– C'est incroyable... Ils sont si moelleux. Vous avez la recette ?

– Oui, dans la tête de ma grand-mère, lui dit Alison.

– Demande-lui de te la copier, dit Mme Remo en se léchant les babines. C'est vraiment *la crème de la crème*.

Alison sourit. Depuis que Mme Remo a mal prononcé son nom le premier jour d'école, elle essaie toujours de lui dire des phrases en français.

– Qu'est-ce que ça veut dire « *la crème de la*

crème » ? demandai-je à Alison quand Mme Remo fut partie.

– Ça veut dire *le meilleur des meilleurs.*

⁂

A la fin de la journée, nous allâmes assister au débat. Il y avait cinq élèves de sixième qui devaient débattre pour la première fois. Le seul que je connaissais, outre Rachel, était un garçon, Toad. En fait, il s'appelle Todd*, mais tout le monde l'appelle Toad, même sa famille. Il était avec moi en primaire, mais pas dans le même CM2.

Ce fut Toad qui parla en premier, et deux filles que je ne connaissais pas, et puis un garçon qui était dans mon cours d'études sociales, et enfin Rachel. Elle s'était tiré les cheveux en arrière, ce qui la faisait paraître plus jeune que d'habitude, et plus jolie. Je la connais tellement bien que je ne fais plus attention à son apparence. J'avais oublié la façon dont sa lèvre inférieure tremble quand elle a peur.

Ce matin, quand je suis passée la chercher chez elle, sa mère était en train de lui donner ses derniers conseils avant son discours :

– Tiens-toi droite, comme si tu étais fière d'être grande, les épaules en arrière et la tête haute.

– Ouais... ouais... avait dit Rachel.

Sa mère lui avait déjà dit la même chose auparavant.

Et Mme Robinson avait embrassé Rachel sur la joue.

– Je sais que ce sera toi la meilleure. Comme toujours.

Mais quand Rachel traversa la scène, mon cœur

* Ce garçon s'appelle Todd, mais on l'appelle Toad, ce qui veut dire crapaud en anglais.

commença à battre très fort. Je voyais qu'elle essayait de suivre le conseil de sa mère, mais elle se courbait tout de même en avançant, comme si elle avait mal au dos.

Quand elle arriva au pupitre, elle tapota le micro pour s'assurer qu'il marchait bien et elle toussa deux fois pour s'éclaircir la gorge. Elle avait la voix qui tremblait en commençant à parler, mais une fois que son corps fut décontracté, elle prit sa voix d'adulte, celle qu'elle emploie quand elle veut qu'on fasse attention. Un grand silence tomba sur l'auditoire. On voyait que tout le monde écoutait ce qu'elle avait à dire. C'était vraiment *la crème de la crème des débatteurs*.

Quand elle eut fini, le public applaudit comme il avait applaudi pour les autres. Et puis M. Diamond, mon professeur d'anglais, s'avança vers le micro pour faire des annonces. La première, c'est que nous avions récolté trois cent seize dollars à la vente de pâtisseries du matin Tout le monde applaudit, surtout Alison et moi, parce que les brownies de Sadie avaient rapporté presque un cinquième du total. Ensuite, M. Diamond nous dit qu'avec cet argent, nous allions pouvoir offrir des paniers de nourriture aux nécessiteux pour Thanksgiving *et* pour Noël. Tout le monde applaudit à nouveau. Et il ajouta que nous avions gagné suffisamment pour organiser une fête le 2 février, le jour des marmottes. Les applaudissements s'amplifièrent.

– C'est le jour de mon anniversaire, murmurai-je à Alison, qui était assise à côté de moi.

– Tu as de la chance ! dit-elle.

Un autre professeur apporta une feuille de papier à M. Diamond.

– D'accord, dit-il. Voilà le résultat de la compétition de cet après-midi. Les deux nouveaux membres de l'équipe de débatteurs sont... (Il hésita une seconde, ce qui me retourna l'estomac.) Toad Scrudato et Rachel Robinson.

Toad et Rachel s'avancèrent pour serrer la main de M. Diamond. Rachel souriait et elle marchait comme d'habitude. Je me sentis ragaillardie. Je me penchai pour serrer la main d'Alison. Elle serra la mienne en retour.

17
L'histoire d'Alison Monceau

Je n'ai jamais compris ce qui rendait certains élèves si populaires. Pourtant, j'ai essayé de comprendre pendant des années. Pendant la première semaine d'école, j'ai vu qu'Alison allait devenir la fille la plus populaire de la classe, et ce n'était pas parce que sa mère était Gena Farrell, puisque personne ne le savait, sauf moi et Rachel, et que nous avions juré de garder le secret. Le plus drôle, c'est qu'Alison n'essaie même pas d'être populaire, mais tout le monde veut devenir son ami. J'ai fait une liste des raisons qui la rendent si populaire

1. Elle est très amicale.
2. Elle ne dit jamais de mal des autres.
3. Elle n'est jamais de mauvaise humeur.
4. Elle rit beaucoup.
5. Elle est drôle.
6. Elle a de beaux cheveux.
7. Elle est différente de nous parce qu'elle est vietnamienne. Paraître différente peut jouer pour vous ou contre vous. Dans le cas d'Alison, ça joue pour elle.

Alison est populaire mais elle n'est pas snob. Je ne peux pas en dire autant d'Amber Ackbourne. C'est le chef du groupe des snobs de sixième et maintenant, elle aussi veut devenir l'amie d'Alison

Elle vient toujours dans notre classe, mais Alison voit clair dans son jeu.

Les garçons aussi aiment bien Alison. Mais ils le montrent d'une façon différente. Ils aiment bien la faire marcher, comme Eric Macaulay, qui l'appelle Poucette et qui lui lance des élastiques. Rachel dit que c'est dévalorisant pour elle d'être appelée Poucette. Elle dit qu'Alison devrait y mettre fin tout de suite avant que ça devienne pire.

– Il m'appelle comme ça simplement parce que je suis petite, a dit Alison l'autre jour, à la maison. Tu connais cette vieille chanson... *Bien que tu ne sois pas plus grande que mon pouce...*

Alison s'était mise à chanter et à danser dans ma chambre. Elle danse très bien. Elle doit tenir de Sadie Wishnik. Quand elle eut fini, elle tomba sur mon lit en riant. Moi aussi je riais. Et pour finir, Rachel se mit à rire elle aussi. Alison sait comment mettre les gens à l'aise.

Bientôt, nous chantions toutes les trois la chanson de *Poucette* et au moment de rentrer chez elle, Rachel dit :

– Eh bien... ça n'est peut-être pas si dévalorisant que ça.

Alison sait également comment flirter. Je l'ai observée pour voir comment elle s'y prend. Elle fait marcher les garçons et elle rit. On apprend beaucoup en regardant une élève populaire en action. On voit ce qu'il faut faire ou ne pas faire. Maman me dit toujours d'être moi-même, mais il y a des moments où je ne sais pas ce que ça veut dire « être moi-même ». Parfois je me sens adulte et d'autres fois je me sens encore petite fille. Comme si j'étais plus qu'une seule personne.

C'est exactement ce que j'ai ressenti mercredi dernier. Il pleuvait très fort. Alison était venue chez moi après l'école. Rachel ne pouvait pas venir, parce qu'elle avait une leçon de musique. Nous étions assises dans la cuisine, en train de manger des beignets et de jouer au Réflexe, et nous avons commencé à parler des jeux auxquels nous jouions quand nous étions petites. Nous nous sommes rendu compte que toutes les deux nous collectionnions les poupées Barbie. Alors j'ai eu l'idée de descendre à la cave pour chercher mes vieilles poupées Barbie que je n'avais pas sorties depuis le CE2. Elles étaient dans un carton sur lequel était écrit *Vieux jouets de Steph.* J'ai monté le carton avec les barbies dans ma chambre, fermé la porte, et Alison et moi avons joué tout l'après-midi à habiller et déshabiller mes trois barbies, en inventant des histoires un peu bêtes sur leur vie.

Une des histoires s'appelait *Barbie est adoptée.* Une fois que nous eûmes fini, je demandai à Alison ce que ça faisait d'être adoptée pour de vrai.

– Comment le saurais-je ? demanda-t-elle. J'ai été adoptée quand j'avais quatre mois, donc je ne sais pas ce que ça fait d'être adoptée.

– Mais est-ce que tu penses parfois à ta mère naturelle ? demandai-je.

J'avais vu un film à la télé sur une fille adoptée qui, à dix-huit ans, décidait de retrouver sa mère naturelle.

– Parfois je pense à elle, dit Alison. Elle était si jeune et si pauvre. Elle avait juste quinze ans quand elle m'a eue. Mais je suis heureuse avec Gena et Léon. Si je devais choisir mes parents, je les choisirais tous les deux.

– Moi aussi je choisirais les miens, dis-je, mais je

m'assurerais que mon père ait un travail sur place, pour qu'il ne voyage plus autant.

– Qu'est-ce qu'il fait comme travail au fait ?

– Il est dans les relations publiques.

– Et quand est-ce qu'il revient ? demanda Alison.

– Pas avant Thanksgiving.

– Il doit vraiment te manquer.

– Oui... vraiment.

Plus tard, en rangeant mes barbies, nous avons fait la promesse de ne dire à personne à quoi nous avions joué cet après-midi-là.

⁂

Le jour suivant, en cours de français, je me mis à penser à Alison. Sa vie ressemblait à un conte de fées. Ça ferait un beau film, pensai-je. Ça s'appellerait *l'Histoire d'Alison Monceau*. Il y aurait Gena Farrell dans le rôle de la mère d'Alison et Alison dans son propre rôle, et moi je jouerais sa meilleure amie. *Stéphanie Behrens Hirsch* serait marqué sur l'écran. Rachel pourrait peut-être jouer le rôle de la mère naturelle. Maquillée et avec une perruque, elle pourrait probablement passer pour vietnamienne et sembler avoir quinze ans. Jérémy Dragon jouerait...

– Stéphanie ! cria Mme Hillerman. Veux-tu te réveiller s'il te plaît !

– Qui ? Moi ?

La classe éclata de rire.

– Je ne sais pas où on en est, dis-je.

– Je ne crois pas que tu l'aies jamais su, dit Mme Hillerman.

Et puis elle me dit quelque chose en français, quelque chose que je ne compris pas, mais toute la classe éclata de rire à nouveau.

18
Macbeth

Double, double, peine et trouble !
Feu, brûle ; et chaudron, bouillonne !

C'est Rachel qui nous a appris ce poème tiré de *Macbeth* de William Shakespeare. Nous avions décidé de nous déguiser comme les trois sorcières de la pièce et de réciter ce poème plutôt que *Des bonbons ou une rançon* comme on dit d'habitude à Halloween*. *Des bonbons ou une rançon*, ce n'était pas ça qui nous intéressait. Ce que nous voulions, c'était réussir à entrer chez une certaine personne, dans une certaine maison jaune.

Cette nuit-là, nous avions mis les habits les plus étranges que nous avions trouvés, des bijoux en toc et des chapeaux de sorcière, que nous nous étions fabriqués avec du carton noir. Nous avions aussi mis des tonnes de maquillage appartenant à Gena Farrell. Alison nous a montré comment se maquiller les yeux, et quand Gena nous a vues, elle a dit :

– Vous êtes vraiment réussies toutes les trois !

Il nous a fallu vingt minutes pour arriver à mon

* Halloween : c'est une fête aux États-Unis, la veille de la Toussaint, où les enfants se déguisent et passent demander des bonbons dans chaque maison en récitant la formule « Treats or Tricks ». Cette nuit-là, on creuse des citrouilles qu'on décore. C'est le symbole d'Halloween.

ancienne maison. Une fois qu'on est rue des Pins, il faut encore descendre toute une allée solitaire et prendre un long chemin assez escarpé à travers le bois.

– Combien de temps tu as habité là ? demanda Alison.

– Presque toute la vie, jusqu'à l'été dernier.

Les lumières de dehors étaient allumées et des deux côtés de la porte, il y avait une citrouille décorée.

– C'est une grande maison, dit Alison en regardant autour d'elle.

– Ouais...

Je hochai la tête et sonnai à la porte. C'était difficile d'imaginer qu'il y avait une autre famille qui habitait dans mon ancienne maison.

C'est Jérémy qui vint ouvrir. Il n'avait pas son blouson couleur chartreuse.

– Des sorcières, dit-il en nous voyant.

Nous avançâmes d'un pas dans le vestibule.

– Mais pas n'importe quelles sorcières, lui dit Alison. Nous sommes les trois sorcières de *Macbeth*

– *Macbeth*... dit Jérémy. C'est passé à la télé ?

– *Macbeth* est une pièce de William Shakespeare, lui dis-je, comme si je la connaissais par cœur.

– Oh ! ce *Macbeth*-là, dit Jérémy.

Rachel, qui n'avait pas encore parlé, nous fit signe de réciter notre poème

Double, double, peine et trouble !

Feu, brûle ; et chaudron, bouillonne !

– Ouais, je vois ce que vous voulez dire, dit Jérémy quand nous eûmes fini.

Henry, le chien dressé pour trouver les termites, descendit les escaliers et vint nous renifler. Et puis il alla se promener dans la salle à manger.

– J'ai habité là, dis-je à Jérémy alors qu'il mettait une barre de chocolat dans le sac de chacune.

– Oh oui ! dit-il. Mon père m'a parlé d'une fille qui avait habité ici.

– Stéphanie, dis-je. Stéphanie Hirsch. Nous nous sommes vus à l'agence de voyages de ma mère. Tu te rappelles ?

Il me lança un regard vide.

– Toi et tes amis, vous aviez besoin de brochures pour faire un dossier pour l'école, lui rappelai-je.

– Oh, c'est vrai ! dit-il. Tu n'as pas l'air pareille.

– Oh, je ne portais pas un chapeau de sorcière ce jour-là.

– Et tu nous a acheté des brownies à la vente de pâtisseries, dit Alison.

– Ces brownies étaient délicieux, dit Jérémy. J'aurais pu en avaler une douzaine.

Et puis il regarda Rachel dans les yeux et dit :

– Toi, c'est Rachel, c'est ça ?

Rachel ne dit rien. Elle nous fit simplement signe de répéter notre poème.

Double, double, peine et trouble !
Feu, brûle ; et chaudron, bouillonne.

⁂

En sortant, j'attrapai Rachel par le bras et lui dis :

– Il savait comment tu t'appelles.

Rachel m'ignora. Alors je lui demandai :

– Comment connaît-il ton nom ?

– Comment le saurais-je ? dit Rachel, avec l'air en colère, comme si c'était de ma faute si Jérémy connaissait son prénom.

Elle descendit l'allée en courant et une fois sur la route, elle dit :

– Nous sommes trop vieilles pour ça ! Je ne sais pas ce qui m'a pris ! Je ne sais pas pourquoi j'ai accepté de faire ça ! (Elle semblait au bord des larmes.) Je rentre à la maison.

– Ne pars pas maintenant, dit Alison en courant pour la rattraper. Nous ne sommes encore allées nulle part. Nous ne sommes pas allées chez Eric Macaulay ni chez Peter Klaff ni chez...

– Tu vas te gâcher tout ton plaisir ! criai-je en courant après Rachel qui marchait vraiment vite. Comment pourrions-nous être les trois sorcières de *Macbeth* sans toi ?

Rachel renifla.

– D'accord... Mais je ne le referai plus jamais.

– Bien, dis-je. Tu n'es pas obligée.

Nous ne nous sommes pas beaucoup amusées ce soir-là, alors nous sommes rentrées chez nous assez tôt.

⁂

Le jour suivant, à la fin du cours de maths, M. Burn me donna un mot à porter à un autre professeur de maths, Mme Godfrey. J'arrivai à la classe de Mme Godfrey au moment où la cloche sonnait et la porte s'ouvrit. Jérémy Dragon fut le premier à sortir.

– Salut Macbeth, dit-il en me voyant.

Au moins, il m'avait reconnue cette fois-là.

Et puis Dana Carpenter sortit juste après lui.

– Salut Steph. Que fais-tu là ?

– J'ai un mot à porter à Mme Godfrey, dis-je. C'est quel cours ?

– Maths avancées.

– Oh ! dis-je.

– Il faut que je me dépêche, dit Dana. A tout à l'heure.

– D'accord.

J'attendis que toutes les quatrièmes sortent de la classe de Mme Godfrey, et, alors que j'allais entrer porter le mot, je vis Rachel sortir !

Nous nous dévisageâmes.

– Que fais-tu là ? demanda Rachel sèchement.

– J'ai un mot à porter à Mme Godfrey, dis-je. Et *toi*, qu'est-ce que tu fais là ?

Rachel me frôla en passant et avança dans le couloir. Je la suivis.

– J'ai dit : qu'est-ce que *toi* tu fais là ?

– On m'a transférée dans ce cours.

– On t'a transférée dans ce cours... en maths *avancées* ?

– Oui.

– Et tu ne me l'as pas dit ? dis-je. Tu n'en as jamais parlé.

– Qu'est-ce que j'aurais pu dire ? dit Rachel en s'arrêtant pour me faire face.

– Tu aurais dû me dire que tu avais été transférée dans un cours de maths avancées avec les quatrièmes ! lui dis-je. Voilà ce que tu aurais pu me dire !

– Arrête de parler comme ça ! dit Rachel.

Elle avait la lèvre inférieure qui tremblait.

– Comme quoi ?

– Comme si j'avais fait quelque chose de mal.

– Je n'ai pas dit que c'était mal, lui dis-je. Je dis simplement que c'est une sacrée surprise !

Rachel ne répondit rien.

– Alors depuis combien de temps es-tu dans ce cours de maths avancées ? demandai-je.

– Depuis la deuxième semaine d'école, dit Rachel calmement, les yeux fixés au sol.

– La deuxième semaine d'école ! dis-je, et je me mis à parler plus fort. Eh bien, c'est intéressant ! Et tu avais l'intention de me le dire ?

– Je le voulais, dit Rachel, mais j'avais peur que tu te mettes en colère.

– En colère ! dis-je. Pourquoi me serais-je mise en colère ? Simplement parce que Jérémy Dragon sait comment tu t'appelles et que tu m'as dit que tu ne savais pas comment ça se faisait ? *Moi*, je me serais mise en colère pour un simple petit détail comme ça ? Simplement parce que je suis censée être ta meilleure amie et que tu ne me dis pas un secret comme ça ?

– Je n'étais pas sûre que j'aimerais bien ce cours, dit Rachel. Alors je pensais que ça ne servait à rien de t'en parler tant que je n'étais pas sûre. Et je ne savais pas, jusqu'à la nuit dernière, qu'il connaissait mon nom.

Je sentis une grande boule de colère me monter dans l'estomac. Quand elle arriva jusqu'à ma gorge, je me mis à crier :

– Oh ! Mais qui ça intéresse, de toute façon !

Et je m'éloignai de Rachel, en tenant mes livres serrés contre ma poitrine.

– Ecoute, dit Rachel, en marchant au même rythme que moi, je n'ai pas demandé à naître comme ça.

– Comment ? répondis-je brusquement.

– De la façon dont je suis.

– Et comment ?

– Intelligente, dit Rachel, en crachant presque ses mots.

– Tu n'es pas seulement intelligente, lui dis-je.

– D'accord... alors je ne suis pas seulement intelligente. Mais ça n'est quand même pas de ma faute. C'est comme ça. Je n'ai rien fait pour, tu le sais. Et ce n'est pas un côté de moi-même que j'aime particulièrement. La plupart du temps, j'aimerais mieux être comme tout le monde... comme toi par exemple !

– Merci beaucoup !

– Je disais ça amicalement, Steph.

Je ne répondis pas. Je ne savais pas quoi dire. Je ne savais même pas exactement ce que je ressentais. Tout ce que je savais, c'est que c'était la première fois que Rachel me cachait un secret.

– Est-ce que ça veut dire que tu ne veux plus être mon amie ? dit Rachel, et sa voix se brisa, comme si elle allait pleurer.

– Non, dis-je. Ça ne veut rien dire, sauf que tu aurais dû me parler de ce cours de maths toi-même.

– Tu as raison, dit Rachel. Je m'en rends compte maintenant.

La deuxième sonnerie retentit. Je courus dans ma salle de classe et je réalisai, en arrivant, que je n'avais toujours pas donné le mot de M. Burns à Mme Godfrey. Alors je courus en sens inverse jusqu'à la salle de Mme Godfrey et j'arrivai en retard à mon cours.

19
Confessions

Au fond de moi, je savais que ce n'était pas de sa faute si Rachel était intelligente et si elle avait été transférée dans un cours de maths avancées. Mais ça ne voulait pas dire non plus que ça me plaisait. C'était quelque chose en plus qui venait se mettre entre nous deux. Comment peut-on être la meilleure amie de quelqu'un qui vous cache des secrets aussi importants, comme le fait qu'elle avait été transférée en cours de maths avancées ?

Cet après-midi-là, je ne parlai pas de Rachel à Alison. Mais si je ne dis rien, c'est parce que je n'en eus pas l'occasion. Léon est venu nous chercher après les cours et nous a conduites en ville. Il pleuvait. Nous devions toutes les trois aller à la bibliothèque chercher des informations pour notre premier dossier en études sociales. Toutes les sixièmes ont le même sujet : faire un rapport sur quelqu'un qui a vraiment changé le monde.

Léon nous déposa devant TCBY, le café qui sert des yaourts glacés. Les initiales veulent dire The Country's Best Yogurt*. Alison adore les yaourts glacés. Elle dit qu'en Californie, tout le monde aime ça. Rachel aime ça, elle aussi. Avant, je trouvais que

* Les meilleurs yaourts du pays.

c'était très mauvais, mais maintenant, je m'y suis habituée. Je commandai un énorme sundae fondant, décrit dans le menu comme « tourbillons de yaourt français à la vanille avec du fondant chaud et de la crème fouettée parsemée de noix de pécan ». Alison et Rachel commandèrent des Smoothies. Un Smoothie, c'est du yaourt mélangé avec du jus de fruit.

Quand notre commande fut prête, nous portâmes nos plateaux jusqu'à une table. Quand nous fûmes assises, Rachel dit à Alison :

– J'ai quelque chose à te dire. (Elle prit une longue gorgée de son Smoothie.) Tu te rappelles ces tests de maths que nous avons passés la première semaine d'école ?

– Hum... dit Alison. C'est comme ça que M. Burns a vu que j'avais oublié tout ce que j'avais appris.

M. Burns n'arrête pas de dire à Alison qu'elle a oublié tout ce qu'elle a appris, et Alison essaie à chaque fois de lui expliquer qu'elle n'a jamais appris tout ça auparavant.

– Eh bien... dit Rachel en me dévisageant et puis en se retournant vers Alison. Après ces tests, on m'a transférée dans un autre cours de maths. (Elle fit une pause et prit une autre gorgée de son Smoothie.) J'ai été transférée dans un cours de maths plus difficile.

– Ça ne m'étonne pas, dit Alison.

– Dans le cours de maths avancées des quatrièmes, dit Rachel.

– Sans blague ? dit Alison. (Elle lécha un peu de Smoothie qui était resté sur sa lèvre supérieure.)

– Je suis dans la classe de Dana Carpenter, dit Rachel.

– J'aime bien Dana, dit Alison.

– Et Jérémy Dragon est dans mon cours lui aussi.

Alison posa son verre. Elle semblait vraiment étonnée. Maintenant, elle va dire à Rachel ce qu'elle pense, me dis-je. Maintenant elle va lui dire que de vraies amies ne se cachent pas des secrets comme ça.

Mais tout ce qu'Alison dit fut :

– Je n'aurais jamais cru que Jérémy était aussi intelligent. Je veux dire qu'il croyait que *Macbeth* était un feuilleton télévisé !

– Je suppose qu'il est plus intelligent dans certains domaines que dans d'autres, dit Rachel.

– Alors, c'est tout ce que tu voulais me dire ? demanda Alison, et elle finit son Smoothie en faisant beaucoup de bruit.

– Oui, dit Rachel.

– Eh bien, mes félicitations ! dit Alison. Tu pourras peut-être m'aider pour les nombres décimaux et les pourcentages. Je ne réussis pas à faire mes exercices d'algèbre parce que je n'arrive pas à les mémoriser.

– Bien sûr, dit Rachel. Quand tu veux.

Je voyais à son expression que Rachel était soulagée, et pour dire la vérité, je ne comprenais pas pourquoi Alison réagissait comme ça, comme si c'était tout simplement un petit événement scolaire sans importance. Mais je ne dis rien. Je restais assise là, à remuer mon sundae au yaourt avec ma cuillère, et je regrettais que ça ne soit pas de la glace.

– J'ai quelque chose à te dire, moi aussi, dit Alison à Rachel. Maizie ne parle pas. J'ai inventé cette histoire pour que Steph et toi deveniez mes amies.

– Je le savais. (Rachel me regarda.) C'est Stéphanie qui croit tout ce qu'on lui raconte.

– Elle savait déjà pour Maizie, dit Alison.

– Ah bon ? dit Rachel. Depuis quand ?

– Depuis le jour où nous sommes allées faire des brownies chez Sadie Wishnik, lui dit Alison.

– C'était il y a des semaines, dit Rachel, le regard fixé sur moi.

Je pris de la sauce au fond de mon verre et puis je léchai la cuillère.

– J'ai dit à Steph que je voulais te le dire moi-même, expliqua Alison.

– Je vois, dit Rachel, calmement.

– Tout comme tu as voulu parler toi-même de ton cours de maths avancées à Alison, dis-je à Rachel.

– Tu savais qu'elle était dans ce cours de maths ? me demanda Alison.

– Je ne peux pas dire que je savais... Je l'ai découvert aujourd'hui seulement... par hasard.

Rachel se leva et rassembla ses livres.

– Nous devrions y aller. On a beaucoup à faire à la bibliothèque.

Alison et moi rassemblâmes nos affaires également. Dehors, il avait cessé de pleuvoir.

– Sur qui vas-tu faire ton dossier ? demanda Rachel à Alison alors que nous nous dirigions vers la bibliothèque.

– Sur Martha Graham, dit Alison. C'est elle qui a pratiquement inventé la danse moderne. Et toi ? demanda-t-elle à Rachel.

– Margaret Mead. C'était une célèbre anthropologue. Et toi, Steph, sur qui travailles-tu ?

– Sur Jane Fonda.

– Jane Fonda ! dit Rachel. Qu'a-t-elle changé d'important dans le monde ?

– Elle a poussé beaucoup de gens à faire de l'exercice, dis-je.

Rachel grogna.

– Je ne pense pas que ça soit le genre de changement auquel pensent nos professeurs.

– Je n'en suis pas si sûre, dit Alison. Jane Fonda est quelqu'un d'important. Tout le monde à Los Angeles.

– On parle du monde, dit Rachel, pas de Los Angeles.

– Je sais, dit Alison, mais en plus de l'aérobic, c'est une très bonne actrice. Ma mère dit toujours qu'elle adorerait qu'on lui offre la moitié des rôles qu'on offre à Jane Fonda.

Rachel secoua la tête.

– Je ne sais que penser de vous deux !

⁂

Cette nuit-là, je suis allée dans la chambre de Maman. Elle était allongée dans sa chaise longue, en train de lire. C'est là qu'elle s'installe quand elle veut se détendre.

– Rachel a été transférée dans un cours de maths avancées et elle ne m'en a pas parlé.

Maman me regarda par-dessus ses lunettes. Ce sont des lunettes en demi-lune qu'elle met pour lire. Quand elle regarde par-dessus, elle rentre le menton et ça lui donne un air bizarre.

– Elle est tellement intelligente ! dis-je, assise au bout de la chaise longue.

– Toi aussi tu es intelligente, ma chérie, dit Maman.

– Pas intelligente comme Rachel.

Je pris un petit oreiller blanc et le serrai contre moi.

– Rachel est douée, dit Maman.

– Douée, répétai-je, pour essayer le mot.

– Est-ce que ça t'ennuie qu'elle soit transférée dans un cours de maths avancées ?

– Ce n'est pas seulement un cours de maths avancées, dis-je. C'est un cours de maths avancées pour les quatrièmes !

– Tu sais, Steph, Rachel n'a pas la vie facile.

– Tu plaisantes ? Elle a toujours des A, sans faire aucun effort.

– Je ne parle pas des notes, dit Maman.

Je ne dis rien.

– Tu ne vas pas laisser ce cours de maths venir se mettre entre vous deux, hein ?

Je jouais avec les dentelles au bout de l'oreiller.

– Je suppose que non... mais ça dépend de Rachel.

Je n'avais plus envie de penser à Rachel, alors je regardai les photos de famille sur le mur, à l'autre bout de la chambre. Il y en a une de Maman et Papa que j'aime particulièrement. Il a la tirelire de Maman en mains et elle, elle rit si fort qu'elle a les yeux fermés.

– Je ne peux pas attendre jusqu'à Thanksgiving, dis-je. Je ne peux pas attendre tout ce temps avant de voir Papa.

⁂

Je dis à Papa que je comptais les jours jusqu'à son retour quand il appela, la nuit suivante.

– Moi aussi, dit Papa. Quoi de neuf à l'école ?

– Je fais partie de l'orchestre symphonique... je joue des percussions.

– Mes félicitations !

– Et en cours de maths, nous suivons le marché de la Bourse.

– Ça paraît intéressant.

– Ça l'est. Nous devons tous choisir trois actions et faire comme si c'étaient vraiment les nôtres. J'ai choisi Reebok, Revlon et Jiffy Lube*.

– C'est un bon assortiment.

– Je sais.

– Quel temps fait-il ?

– Il a plu, dis-je. Mais aujourd'hui le soleil est revenu. (Je fis une pause, en essayant de trouver quelque chose à dire qui pourrait intéresser Papa.) Tu as entendu la nouvelle pour Bruce ? demandai-je.

– Quoi ?

– Eh bien... commençai-je, mais Bruce m'arracha le téléphone des mains et dit :

– Je vais lui dire moi-même.

Bruce était candidat dans un concours national. Ça s'appelle les Enfants pour la paix. Il a fait un dessin et l'a envoyé à Boston où il va être jugé parmi d'autres. Les trois premiers gagneront un voyage gratuit à Washington où ils rencontreront le Président. Dans un sens, j'espère que Bruce va gagner ce concours, mais dans un autre, j'aimerais mieux pas. Je ne sais pas quel effet ça me ferait d'avoir un frère célèbre. Tout le monde me comparerait probablement à lui et me demanderait : *Et vous, Stéphanie, à quels concours avez-vous participé ?* Et je serais obligée de trouver une réponse intelligente comme : *Je ne crois pas aux concours. Les concours ne prouvent rien.*

Je me demande si Jessica et Charles ressentent la même chose vis-à-vis de leur petite sœur Rachel. Je me demande s'ils essaient toujours de prouver qu'ils sont aussi brillants qu'elle. Heureusement pour moi que Bruce n'est pas doué. C'est simplement un garçon normal qui a fait un jour un dessin formidable.

* C'est une compagnie qui fabrique de l'huile pour les voitures.

20
Des choses...

Maman et Tante Denise essaient de décider si elles vont faire une farce aux légumes ou aux marrons pour la dinde de Thanksgiving. En fait, elles ne mettent pas la farce dans la dinde, elles la présentent sur un plat séparé. Maman dit que c'est plus sain de cuire la dinde sans la farcir. Je ne vois pas pourquoi on appelle ça de la farce alors que ça n'en est pas.

Nous allons avoir quatorze personnes à dîner. Tout le monde fait partie de la famille, sauf Carla, la meilleure amie de Maman depuis l'université, et sa petite fille, Katie, qui a huit ans. Carla est veuve. Son mari a été tué en traversant une rue. Un mec l'a écrasé sous un camion. Il n'avait même pas son permis de conduire. Katie était bébé à cette époque. Elle n'a jamais connu son père. Maman dit que certaines personnes ont plus que leur part de malheur. Mais Carla a un très bon travail. Elle produit une nouvelle émission pour NBC*.

J'ai demandé à Maman si je pouvais faire des cartes avec le nom des gens et leur place, parce que, au dîner de Thanksgiving, ils restent toujours debout autour de la table en attendant qu'on les place. Et pendant qu'ils attendent, le repas refroidit. Maman

* NBC : chaîne de télévision américaine.

a dit que c'était une bonne idée. J'ai fait les cartes dans du papier violet. J'ai dessiné une fleur sur chacune et j'ai essayé d'écrire les noms bien droit. Puis j'ai fait un tableau avec les gens à leur place, comme celui qu'a fait Mme Remo la première semaine de classe pour se souvenir de nos noms. Je me suis mise entre Papa et Katie. J'ai placé Bruce à côté du cousin Howard. Moi, je ne voudrais jamais m'asseoir à côté de Howard. Il a dix-sept ans et il est dégoûtant. Il rote après chaque bouchée et il nous dit qu'il y a certains pays où roter est considéré comme un compliment pour la maîtresse de maison. Ne pas roter, dit Howard, c'est être très impoli avec ses hôtes. Et Howard ne se contente pas de roter. Au printemps dernier, au dîner de Pâques je lui ai demandé si c'était aussi considéré comme un compliment dans certains pays. Il a ri et c'est tout. Je suis vraiment contente de ne pas avoir un frère comme lui. Maman dit qu'il traverse une mauvaise passe et que, dans quelques années, il sera comme son frère, Stanley, qui va à l'université. Je ne sais pas si c'est un bien ou un mal, parce que Stanley est tellement ennuyeux !

***

Mercredi, la veille de Thanksgiving, j'étais incapable de me concentrer en classe. Je n'arrêtais pas de penser que, dans quelques heures, je reverrais Papa. Je l'imaginais. Il est grand et mince, avec un visage osseux. Il a les yeux bleu gris et il porte des Ray Ban. Il a une fossette au menton, comme Bruce. Quand il est très fatigué, il baisse les épaules. Il sera probablement très bronzé avec le soleil de Californie, pensais-je. Et il aura des cadeaux pour nous tous, des sweat-shirts pour moi et pour Bruce, avec quelque chose sur la Californie écrit dessus, et pour Maman, du parfum et une chemise de nuit en dentelle.

J'étais contente qu'on n'ait qu'une demi-journée d'école. Pendant la dernière heure, il y eut une réunion de Thanksgiving avec tous les élèves de l'école, ce qui fit passer le temps encore plus vite. Le chœur chanta, les danseurs dansèrent et l'orchestre joua. Je faisais mes débuts comme percussionniste. Je devais frapper deux fois des cymbales et jouer une fois du carillon. Je me suis trompée avec le carillon. Mais Mme Lopez, le professeur de musique, m'a lancé un regard rassurant, comme si ça n'était pas grave du tout.

Tante Denise est venue me chercher après les cours. Je l'aide toujours à cuire les gâteaux pour le dîner de Thanksgiving. Elle dit qu'elle aurait aimé avoir une fille comme moi. Je ne la blâme pas. Imaginez quelqu'un d'aussi gentil, flanqué de fils comme Howard et Stanley !

Pendant que les gâteaux cuisaient, Tante Denise et moi avons nettoyé la cuisine.

– Est-ce que ta mère t'a parlé ? demanda-t-elle en me donnant à essuyer le plat à légumes.

– A propos de quoi ? demandai-je.

– Tu sais, dit Tante Denise, des choses...

– Oh ! *Des choses*, dis-je. Oui... Maman m'a acheté un livre.

– Un livre ?

– Oui : « *l'Amour et le Sexe expliqués simplement.* »

– Le sexe ?

– Ce n'est pas ce dont tu parlais ?

Tante Denise hésita.
– En quelque sorte...

***

– Je suis rentrée ! criai-je quand Tante Denise me déposa à cinq heures.

Je voulais me changer avant que Papa n'arrive. Il louait une voiture à l'aéroport Kennedy et conduisait jusque dans le Connecticut.

– Je suis en haut, me répondit Maman en criant.

J'allai dans sa chambre. Elle sortait juste de sa douche et elle était enveloppée dans une grande serviette rayée.

– Quelle journée ! dit-elle, en se tenant la tête. J'ai *tellement* mal à la tête... (Elle prit une boîte d'aspirines dans son placard et en avala deux avec de l'eau.) J'ai réservé au restaurant Onion Alley pour toi, Bruce et Papa, à sept heures.

– Et toi ? demandai-je.

– Je vais chez Denise pour l'aider à faire la farce et le gâteau aux patates douces.

– Mais Maman... C'est la première nuit que Papa passe à la maison.

– Je sais, chérie, mais nous en avons parlé et il comprend.

– Mais Maman... commençai-je à nouveau. (Et puis je me rappelai qu'ils seraient seuls plus tard.) Oh, j'ai compris, dis-je en lançant un regard espiègle à Maman.

– Vraiment, Steph... dit Maman.

21
Papa

Il faisait très froid cette nuit-là et je frissonnais dans mon pull en attendant Papa dehors. Pour me tenir chaud, je sautais dans les feuilles sur la pelouse de devant. J'étais contente qu'il fasse déjà noir. Je n'aurais pas voulu qu'on me voie faire la sotte comme ça.

Une voiture descendit lentement notre allée. Je m'avançai pour regarder, en me demandant si c'était Papa. Elle passa devant la maison, s'arrêta et fit marche arrière pour se garer juste en face. La porte s'ouvrit et Papa sortit. Je courus vers lui.

– Papa !

Il me prit dans ses bras et me serra contre lui. C'était si bon de sentir à nouveau son odeur particulière, un mélange d'after-shave, de bonbon au caramel et de quelque chose d'autre... quelque chose qui était lui, tout simplement. Il portait son vieux blouson en daim marron. C'était une sensation douce et familière contre ma joue.

Quand nous entrâmes dans la maison, je remarquai que la calvitie derrière sa tête avait augmenté, ou c'était peut-être simplement le vent qui l'avait décoiffé. Et puis il n'était pas bronzé. Je lui demandai tout de suite pourquoi.

Il dit :

– J'ai travaillé tout le temps et je n'ai pas eu le loisir d'aller m'asseoir au soleil.

Il semblait vraiment épuisé. Ce n'était pas bon pour lui de rester longtemps loin de nous, pensai-je. Il n'avait probablement personne pour le réconforter après une dure journée de travail.

– Personne ne t'a jamais dit que c'était impoli de dévisager les gens ? dit Papa en riant.

– Quoi ?

– Tu me dévisageais, répéta-t-il.

– Vraiment ?

– Oui ! Alors maintenant, c'est à mon tour.

Il m'inspecta soigneusement. Je ne sais pas pourquoi, mais soudain, je me sentis gênée. Je suppose que c'est parce que je suis différente maintenant, différente depuis que Papa est parti. Je n'étais pas encore en sixième à ce moment-là. Maintenant, je suis presque une adolescente. Papa me caressa les cheveux.

– Ils poussent, dis-je, m'en rendant compte tout en les touchant. Au printemps, ils seront longs.

– Ils sont bien comme ça, dit Papa.

Bruce descendit les escaliers en courant. Papa le prit dans ses bras et le fit tourner en l'air. Et puis ils se frottèrent le nez et se tapotèrent, dans les bras l'un de l'autre, comme ils font toujours pour se montrer qu'ils s'aiment.

– Tu as l'air tellement grand, dit Papa à Bruce.

– Je n'ai pas grandi du tout, dit Bruce. Pas d'un centimètre.

– Eh bien j'aurais cru le contraire.

Maman descendit l'escalier juste derrière Bruce. Ils s'embrassèrent, mais seulement un instant.

– Comment vas-tu, Row ? demanda Papa.

– Ça va, dit Maman.

On voyait bien qu'ils ne voulaient pas commencer devant nous.

J'avais raison pour les sweat-shirts. Papa en avait rapporté un pour moi sur lequel était écrit *Los Angeles, ville des anges*, et sur celui de Bruce était écrit *les Dodgers** *de Los Angeles*. Je ne sais pas ce qu'il avait rapporté pour Maman.

Papa n'avait pas encore vu ma nouvelle chambre, alors je l'attrapai par le bras pour le conduire en haut.

– Regardez-moi tous ces posters ! dit Papa. Comment celui-là est-il arrivé jusqu'au plafond ?

Il renversa le cou pour avoir une meilleure vue sur Benjamin Moore.

– Celui-là est spécial, dis-je. Il faut se coucher sur le lit pour bien le voir.

– Plus tard peut-être, dit Papa.

Il n'avait pas l'air surpris que nous allions dîner à trois. Je suppose qu'il avait arrangé tous les détails avec Maman par téléphone. Nous allâmes nous asseoir dans un box au restaurant. Je commandai une pizza en chausson, mais je ne mangeai pas beaucoup parce que Bruce et moi nous n'avons pas arrêté de parler pendant tout le dîner. Je racontai toute l'histoire d'Alison à Papa, qu'elle avait vécu à Malibu, et qu'elle disait que ce n'est pas très loin de Marina Del Rey, là où Papa avait son appartement. Je lui racontai qu'elle avait oublié tout ce qu'elle avait appris en maths mais que Rachel allait l'aider. Je lui dis que je m'entendais bien avec elle et qu'elle était si drôle.

* Nom d'une équipe de base-ball.

– A t'entendre parler, il semble qu'Alison est devenue ta meilleure amie, dit Papa en mangeant son veau.

– Ce sont Rachel *et* Alison mes meilleures amies, lui dis-je.

– Tu as *deux* meilleures amies ? demanda Papa.

– Deux c'est mieux qu'une seule, non ? lui dis-je.

– Deux meilleures amies, ça veut dire qu'elle est toujours pendue au téléphone, dit Bruce. Elle va bientôt aller s'installer dans le garde-manger.

– Le garde-manger ?

Papa ne comprenait pas.

– Elle va se cacher là pour téléphoner, expliqua Bruce.

– Si j'avais *mon* propre téléphone dans *ma* chambre, je ne serais pas obligée de m'enfermer dans le garde-manger pour avoir la paix. Aux Folies d'Eddy on peut en avoir un pour seulement dix-neuf dollars quatre-vingt-quinze. C'est le cadeau que j'aimerais le plus avoir pour mon anniversaire.

– Je ne crois pas que ce soit le prix du téléphone qui pose un problème, dit Papa. Je pense que c'est plutôt l'idée que tu aies un téléphone à toi.

– Mais tu y penseras, non ? demandai-je. Pour mes treize ans ?

– Je vais en parler avec Maman.

Je vais en parler avec Maman, c'est la version de Papa pour *on verra*.

Quand Bruce se mit à parler de son professeur d'informatique à Papa, je pensai à autre chose. Ça serait bien d'avoir mon téléphone à moi. J'en aurais un rose, avec un très long fil, comme ça je pourrais l'emporter du bureau jusqu'à la table de nuit. Et puis j'aurais un numéro avec un nom, comme ça mes amis n'auraient qu'à composer le 662-STEPH, comme on fait le 662-PIZZ quand on veut commander une pizza.

– Alors qu'est-ce que tu en penses, Steph? demanda Papa.

– Quoi?

– Elle n'écoutait pas, dit Bruce. Elle avait l'esprit ailleurs.

– Je parlais de nos projets pour le week-end, dit Papa. Je disais qu'on pourrait aller à l'hôtel à New York. Je pensais qu'on pourrait partir tôt pour aller voir les vitrines sur la Cinquième Avenue. Tu sais combien il y a de monde après Thanksgiving. Et puis on pourrait aller au Musée d'histoire naturelle... et peut-être au Metropolitan... pour voir une pièce de théâtre le samedi soir.

– Ça me semble super! dis-je. Je ne savais pas que nous allions à New York pour le week-end.

– C'est parce que tu étais trop occupée à rêvasser, dit Bruce.

– Je ne rêvais pas, lui dis-je. Je réfléchissais.

– Ça suffit! dit Papa. Tout ce qui compte, c'est que nous nous amusions bien ensemble. Et ça veut dire : pas de bagarre.

– On ne se bagarre presque plus maintenant, dit Bruce à Papa.

– Eh bien, voilà une bonne nouvelle, dit Papa.

J'aurais bien aimé appeler Rachel et Alison à l'instant même pour leur raconter nos projets, mais Alison était déjà partie chez Sadie Wishnik et Rachel était chez sa tante, dans le New Hampshire.

Quand nous arrivâmes à la maison, Bruce courut à la salle de bains. Le docteur Klaff dit qu'il a une petite vessie et que s'il boit beaucoup, il doit tout de suite faire pipi. Et il avait bu deux verres d'eau et un Coca au dîner. Papa dit que quand il était petit, il avait le même problème.

– A demain, dit Papa en m'embrassant sur la joue.

– Qu'est-ce que tu veux dire, à demain ? demandai-je.

– Je rentre à New York maintenant. J'ai une réunion tôt demain matin.

– Tu as une réunion le matin de Thanksgiving ?

– Oui, dit Papa, pour le petit déjeuner. C'est le seul moment où on peut se voir. Mais je serai revenu largement à temps pour le dîner.

– Et Maman ? demandai-je.

– Eh bien quoi ?

– Elle va être tellement déçue. Vous ne vous êtes pas vus tous les deux depuis l'été.

– C'est elle qui t'a dit ça ?

– Pas exactement, dis-je.

– Elle sait que j'ai une réunion, dit Papa. Et elle va être très occupée avec le dîner de Thanksgiving.

– Pas si occupée que ça !

– Ne t'inquiète pas pour ça... d'accord ? (Papa m'embrassa à nouveau, sur le dessus de la tête cette fois.) Je serai rentré demain vers deux heures, au plus tard.

Bruce fit un cauchemar cette nuit-là. Je l'ai entendu appeler Maman. J'ai entendu Maman traverser le couloir sur la pointe des pieds jusqu'à sa chambre. Je l'ai entendue lui parler doucement. Je suppose que j'ai dû me rendormir aussitôt parce que quand j'ai rouvert les yeux, c'était le matin et je sentais l'odeur de la dinde qui cuisait.

22
Le grand jour

Papa ramena Carla et Katie de New York dans sa voiture. Ils arrivèrent avant deux heures, comme il l'avait promis. Carla est grande et mince avec de fins cheveux blonds. Elle porte toujours des habits en daim ou en cuir, même en été, et des bijoux en argent.

– Stéphanie... mon Dieu! dit-elle. (Elle était essoufflée, comme si elle venait de faire le tour du pâté de maisons en courant.) Tu es devenue une jeune fille!

Je sentis son parfum quand elle m'embrassa. Et puis elle chercha un kleenex dans son sac pour se moucher. Maman dit que Carla a commencé à avoir des allergies juste après la mort de son mari. Et elle renifle toute l'année.

– Je peux aider à la cuisine? demanda Carla à Maman.

– Tout est prêt, dit Maman en s'essuyant les mains sur son jean, sauf moi.

– Je vais te tenir compagnie pendant que tu t'habilles, dit Carla.

– Tu peux surveiller la dinde, Steve? demanda Maman. Il faut l'arroser toutes les quinze minutes.

– Pas de problème, dit Papa.

– Allez, dit Bruce en prenant la main de Papa et en l'entraînant vers le salon. Viens jouer...

Katie restait là et regardait tout le monde partir dans tous les sens. Elle est petite pour ses huit ans, et elle a les joues rondes et roses. Elle me fait penser à une grosse poupée.

– Tu veux voir ma chambre ? lui demandai-je.

– Oh oui !

Nous montâmes.

– C'est joli, dit Katie en regardant autour d'elle. J'aime bien tes posters. Comment as-tu fait pour mettre celui-là sur le plafond ?

– C'est mon petit ami, lui dis-je.

– Il s'appelle comment ?

– Benjamin.

– C'est un joli nom. Quel âge a-t-il ?

– Dix-sept ans.

– C'est vraiment vieux. Est-ce que c'est sérieux ?

– Oui, mais ma famille n'en sait rien, alors n'en parle pas, d'accord ?

– D'accord.

Je pris un jeu de cartes dans le tiroir de mon bureau.

– Je vais t'apprendre à jouer au Réflexe.

– Je sais déjà y jouer.

– Vraiment ? (Ça m'étonnait, parce que je n'avais jamais entendu parler de ce jeu avant qu'Alison me l'apprenne.) Tu veux jouer ? lui demandai-je.

– Oh oui, dit-elle.

Katie était très rapide. Elle me battit deux fois avant que le reste des invités arrive.

Ils arrivèrent tous en même temps. Tante Robin et son compagnon, Scott, avaient amené leur caniche, Enchilada. Grand-Lola appelle Enchilada son « petit-chien ». Tante Robin et Scott travaillent dans les investissements. Leur hobby c'est l'argent et ils ne parlent que de ça. Alors ils furent extrêmement intéressés quand je racontai à Grand-Lola et Papa Jack que j'avais trois actions et comment je les avais choisies.

– J'ai choisi Jiffy Lube parce que j'aime bien le nom, Revlon parce que Maman utilise leur maquillage et Reebok parce que tout le monde veut porter leurs chaussures. Pour finir, je crois que j'ai bien choisi.

Oncle Richard, qui est marié avec Tante Denise, dit que, vu son expérience de la Bourse, mes raisons pour choisir Revlon, Jiffy Lube et Reebok semblaient aussi bonnes que d'autres.

A quatre heures, nous passâmes à table. Chacun fit « ooh » et « aah » quand Maman arriva en portant la dinde et qu'elle la posa devant Papa. Et puis elle alla s'asseoir à l'autre bout de la table.

– Cuisse ou blanc ? demanda Papa à chacun d'entre nous en coupant la dinde.

– Du blanc, cria Bruce, et il se mit à rire avec Katie.

– Oh, avoir dix ans à nouveau ! dit le cousin Stanley en soupirant, comme s'il avait quatre-vingt-dix ans alors qu'il en a dix-neuf.

Papa Jack prit son médicament pour son ulcère avant de manger.

Après le plat principal, Howard rota trois fois.

– Un repas excellent, dit-il en se tapotant le ventre.

Pendant le dessert, un bout de gâteau de citrouille tomba par terre. Enchilada l'avala. Je ne sais pas si quelqu'un d'autre que moi l'avait remarqué, mais quelques minutes après, Enchilada vomit sur la chaussure de Bruce. Et Bruce le prit pour une insulte personnelle.

– Ce sont mes seules chaussures, dit-il. Qu'est-ce que je vais mettre pour aller à l'école lundi ? Si je mets ces chaussures-là, tous les élèves vont se boucher le nez et dire : *Berk... ça pue !*

– Enlève-les et va les mettre dans la buanderie, dit Maman. (Comme Bruce ne bougeait pas, elle ajouta :) Et dépêche-toi !

Tante Robin emmena Enchilada dehors au cas où, pendant que Scott nettoyait sous la table.

– On est plus tranquille avec un bébé, dit Grand-Lola quand Tante Robin rentra. Un bébé causerait moins d'ennuis que ce chien.

– Mais les bébés grandissent, dit Tante Denise en regardant Howard.

Howard rota.

Papa Jack prit un autre médicament pour son ulcère.

A huit heures, nos invités partirent. Carla et Katie rentrèrent à New York en voiture avec Tante Robin et Scott.

Et soudain, la maison sembla très silencieuse. Nous débarrassâmes la table à quatre. Puis Maman chargea le lave-vaisselle et Papa nettoya les plats et les casseroles pendant que j'enveloppais les restes. Je suppose que Maman et Papa étaient trop fatigués pour parler.

Quand j'eus fini, je montai dans ma chambre pour me changer, parce que j'avais renversé une goutte de sauce à l'airelle sur ma chemise. Pendant que j'étais dans ma chambre, Papa passa la tête pour me dire :

– Si tu te dépêches de faire ta valise, nous pouvons encore descendre à New York ce soir.

– Je ne savais pas que nous partions ce soir.

– Eh bien si.

– Mais Maman travaille demain, non ?

– Stéphanie, dit Papa, assieds-toi.

Il y a des moments où on sait qu'on va entendre des choses qu'on n'a pas envie d'apprendre. Des choses auxquelles on s'est empêché de réfléchir. Je m'assis au bord de mon lit, en me mordant l'intérieur des joues.

Papa fit les cent pas dans ma chambre. Finalement, il s'assit à côté de moi.

– Je sais que tu as deviné maintenant...

– Deviné quoi ?

– Maman et moi... notre séparation.

– Quelle séparation ?

– Cette séparation-là, dit Papa d'un ton impatient. Que nous vivons chacun de notre côté pour le moment.

– Non !

– Je pensais que tu savais, dit Papa en hochant la tête.

– Pour qui tu me prends... pour une espèce de télépathe ?

– Mais toutes les questions que tu m'as posées la nuit dernière... dit Papa.

– Eh bien quoi ?

Il alla dans le couloir et cria :

– Row ! Tu voudrais bien venir une seconde ?

Je regardai Benjamin Moore. Je m'obligeai à me concentrer sur lui. Si ça avait vraiment été mon petit ami, j'aurais accepté de sortir avec lui maintenant. Nous serions allés au cinéma d'abord, et puis chez

Arcudi pour manger une pizza. Pendant que nous aurions été en train de manger, Jérémy Dragon serait entré avec des amis et aurait dit : *Eh ! Macbeth... comment ça va ?* Et je lui aurais présenté Benjamin et il aurait été très impressionné, pas seulement parce que Benjamin est très mignon, mais aussi parce qu'il aurait eu dix-sept ans. Ensuite, Jérémy se serait assis à côté de moi et m'aurait demandé mon numéro de téléphone. Et moi, j'aurais répondu : *Tu n'as qu'à faire le 662-STEPH, tout simplement.*

J'entendais Maman et Papa dans le couloir. J'entendais leurs voix qui montaient et descendaient, mais je ne comprenais pas ce qu'ils disaient. Qu'est-ce que Papa avait voulu dire par une séparation ? Et pourquoi avait-il agi comme si c'était de ma faute si je n'avais pas compris avant ? Je sortis dans le couloir sur la pointe des pieds. La porte de la chambre de Maman était fermée. Je restai derrière à écouter.

Papa disait :

– Je pensais que nous nous étions mis d'accord pour ne pas le leur cacher.

Maman disait :

– Je ne leur ai rien caché du tout, mais ils ne m'ont jamais posé de questions. Je pensais que nous étions d'accord : s'ils n'avaient pas l'air de s'inquiéter, nous n'aborderions pas le sujet.

Et puis Papa dit :

– Bon, j'ai craché le morceau maintenant... et Stéphanie est malheureuse.

– De la faute à qui ? demanda Maman.

Et Papa dit :

– Comment aurais-je pu savoir qu'elle n'avait vraiment pas compris...

C'était trop. Je poussai la porte et hurlai :

– Je suppose que maintenant vous êtes sûrs que je suis crédule !

Je vis la surprise se peindre sur leur visage.

– Eh bien, je ne le suis pas. On ne peut pas me tromper si facilement que ça, ni vous ni personne d'autre !

Je me retournai, claquai la porte et puis je courus jusqu'à ma chambre où je me jetai la tête la première sur mon lit.

– Qu'est-ce qui se passe ? demanda Bruce, debout sur le seuil de ma chambre.

– Plein de choses, lui dis-je. Mais rien de bien !

23
Le week-end

Je refusai d'aller à New York avec Papa, alors Bruce partit sans moi.

– Tu ne crois pas que tu as été un peu dure avec lui, Steph ? me demanda Maman le vendredi matin.

– Tu te crois drôle ? demandai-je en engouffrant mon deuxième bol de céréales. Au cas où tu voudrais le savoir, dis-je entre deux bouchées, je suis autant en colère contre toi que contre Papa.

– Je le vois, dit Maman, et j'en suis désolée. J'aurais dû te parler de cette séparation avant, mais tu paraissais tellement heureuse... avec l'école et tes amies...

– Alors tu m'as laissé croire que tout était comme avant.

– Eh bien, ça l'est d'une certaine manière, dit Maman. Ta vie ne va pas changer.

– Comment peux-tu dire ça ?

– Ce n'est pas différent quand Papa est en voyage d'affaires, hein ?

– Jusqu'à la nuit dernière, ce n'était pas différent. (Je me coupai une tranche de gâteau aux pommes et la réchauffai au four à micro-ondes.) Je suppose que c'est à cause de ça que nous avons vendu la maison jaune et que nous sommes venus nous installer ici, dis-je, à cause de votre séparation.

– C'est une des raisons, oui.

– Et je suppose que tout le monde dans la famille est au courant.

– Oui, ma sœur, dit Maman, et Grand-Lola et Papa Jack.

– Et Carla ?

– Oui, Carla est au courant.

Je finis mon gâteau et sortis de la cuisine en laissant ma vaisselle sale sur la table.

– Où vas-tu ? me cria Maman.

– Je retourne au lit, lui dis-je.

– J'aimerais que tu t'habilles et que tu viennes au bureau avec moi.

– Non merci.

Je montai et me mis au lit, en mettant la couette au-dessus de ma tête.

Quand je me réveillai deux heures plus tard, j'entendis Maman parler au téléphone. A cette heure-là, c'était vraiment insolite, parce que d'habitude elle ne manque jamais le travail. Quand l'un de nous est malade et doit rester à la maison, elle demande à Mme Greco de venir pour la journée.

J'allai à la cuisine et mangeai le reste du gâteau aux patates douces. Tout le reste. J'aurais pu aller devant la télé, mais Maman était encore au téléphone dans le salon. Je ne savais pas si c'était un appel professionnel ou si elle bavardait avec Tante Denise, parce que, quand elle me vit, elle couvrit l'écouteur de sa main et me fit signe de partir. Alors je retournai me coucher. Je dormis par intervalles pendant tout l'après-midi.

Maman vint me voir deux fois. La seconde fois,

elle me tâta le front mais je fis comme si je ne sentais rien.

A l'heure du dîner, je n'étais toujours pas habillée. Je descendis. Maman était encore au téléphone.

– Je vais manger maintenant, lui dis-je.

Cette fois, elle leva la main, en me faisant signe d'attendre, mais je n'attendis pas. Je me fis un gigantesque sandwich à la dinde avec des tranches de pain tellement épaisses que je pouvais à peine les mettre dans ma bouche. Je mangeai la moitié de la farce qui restait et le dernier morceau de gâteau aux pommes. Et puis je retournai au lit.

Le samedi matin, Maman vint me voir dans ma chambre.

– Dès que tu seras habillée, je te conduis à la gare. Papa t'attend... il ne veut pas que tu rates les vitrines sur la Cinquième Avenue.

– Je n'irai nulle part, dis-je.

– Il a trois billets pour la comédie musicale de ce soir.

– Qu'il donne le mien à quelqu'un d'autre, dis-je.

Et puis je rotai. Je n'en avais pas l'intention, mais c'était sorti comme ça.

– Je sais que tu aimes beaucoup les comédies musicales, Steph...

– Je n'irai *pas* à New York !

Maman resta encore à la maison ce jour-là et travailla sur son ordinateur. L'après-midi, elle me trouva dans la cuisine, en train de grignoter une cuisse de dinde.

– Ça ne sert à rien de te gaver comme ça, dit-elle. Tu vas être malade si tu continues.

– Tout est de ta faute, dis-je.

– Qu'est-ce que tu veux dire ? demanda Maman.

– Je veux dire que si tu n'étais pas aussi obnubilée par ton travail, ça ne serait pas arrivé. Si nous étions tous partis en Californie, toi et Papa vous ne seriez pas séparés.

– Ce n'est pas vrai, dit Maman. Je ne sais pas où tu as pêché une idée pareille.

– Alors explique-moi, dis-je, en tendant la main vers le réfrigérateur pour prendre le pot de cornichons au fenouil.

Maman referma la porte du réfrigérateur et se mit devant.

– Papa et moi, nous avons des problèmes. Et nous essayons de les résoudre.

– Quels problèmes ?

Maman soupira.

– Il en a marre de sa vie. Il veut changer. Moi, j'aime bien la vie que je mène...

– Mais il était *obligé* de partir en Californie, dis-je. Il n'avait pas le choix.

– Il a *demandé* à partir en Californie, dit Maman.

– Je ne te crois pas ! dis-je. Je crois même que tu te fiches de cette séparation. Si ça te faisait vraiment quelque chose, tu pleurerais !

– Quand j'ai envie de pleurer, je le fais en privé, dit Maman en élevant la voix. Et je ne te dis pas tout.

Pendant une minute, aucune d'entre nous ne parla.

– Ecoute, commença-t-elle, en essayant de mettre son bras autour de moi, mais je m'éloignai. (Je ne voulais pas qu'elle me touche.)

– Nous n'allons prendre aucune décision à la va-vite... Je te le promets. C'est une séparation à l'essai.

– Et combien de temps ça dure, une séparation à l'essai ? demandai-je.

– Aussi longtemps que nécessaire, dit Maman.

J'avalai une part de gâteau à la citrouille, sans même la mâcher.

Cette nuit-là, quand je retournai au lit, je réfléchis à ce que Maman avait dit, que Papa s'ennuyait dans sa vie. Je ne comprends pas pourquoi il s'ennuie. Il a une famille merveilleuse. Il a un bon travail. Il gagne pas mal d'argent. Il a peut-être besoin d'avoir un hobby, pensai-je. Il faut peut-être qu'il s'intéresse à quelque chose d'autre, comme la plongée sous-marine ou bricoler dans la maison. Ou peut-être qu'il passe par la crise de la quarantaine. Oui, ça devait être ça ! Quand le père de Rachel a passé sa crise de la quarantaine, il y a quelques années, il a changé de travail. Avant il était avocat, maintenant il est professeur. Peut-être que Papa devrait devenir professeur lui aussi. Il pourrait avoir un poste au collège, comme M. Robinson. Il pourrait même donner des leçons de football puisque c'est son sport préféré. Comme ça, il ne serait plus obligé d'aller travailler en ville ou de prendre l'avion pour des voyages d'affaires. Je m'endormis en me demandant quelle matière pourrait bien enseigner Papa.

Le dimanche, je dormis jusqu'à midi. Quand je me levai, je passai un jean et un sweat-shirt et je courus à la cuisine. J'engouffrai le reste du gâteau à la citrouille, la farce et presque toute la dinde. J'avais l'impression que j'allais exploser. Il fallait que je sorte de la maison Je mis mon nouveau blouson d'hiver, celui que j'ai acheté il y a deux semaines. Maman voulait que j'en prenne un rouge ou un bleu mais j'ai choisi le violet. Je remontai la fermeture et sortis par la porte de derrière. Il faisait froid dehors, et gris. L'hiver arrivait pour de bon cette fois. Je rotai deux fois. Dommage que Howard ne soit pas là, il aurait été fier de moi.

Le vent soufflait dans mes cheveux et me faisait mal aux oreilles. Je les couvris de mes mains et descendis vers l'étang. Je donnais des coups de pied dans les cailloux sur la route en marchant. Quand je fus arrivée, je m'assis sur une bûche, devant l'eau. Je restai assise jusqu'à ce que mes pieds fussent engourdis par le froid. Alors je me mis à sautiller sur place pour retrouver des sensations au bout des doigts de pied. Mais ça me fit remonter la nourriture dans l'estomac et je commençai à me sentir mal. J'attrapai une poignée de pierres et les lançai l'une après l'autre dans l'étang, espérant qu'elles feraient des ricochets sur l'eau. Mais je ne réussis à en faire aucun, alors je me rassis sur la bûche.

Je ne sais pas combien de temps je suis restée assise comme ça avant de voir la voiture que Papa avait louée. Elle ralentit, s'arrêta un instant et Bruce sauta de la voiture.

– Hé, Steph ! cria-t-il en courant vers moi. Qu'est-ce que tu fais ?

– Qu'est-ce que j'ai l'air de faire ? demandai-je.

– D'être assise à côté de l'étang à te geler les fesses.

– Très bien.

– Nous nous sommes bien amusés à New York. Nous avons vu une pièce super.

– Quelle pièce ?

– *La Petite Boutique des horreurs.*

– J'ai vu le film.

– Ouais... mais la pièce était meilleure encore. C'était tellement drôle. (Il imita Audrey II, la plante qui parle :) *Donne-moi à manger, Seymour... donne-moi à manger!*

Je ris presque.

– Papa a donné ton billet à Carla.

– Carla a pris mon billet?

– Oui, et elle a beaucoup aimé la pièce.

– C'est dégoûtant! dis-je.

– Quoi?

– Que Papa ait donné mon billet à Carla et qu'elle l'ait accepté!

Bruce haussa les épaules.

– Qu'est-ce que tu as fait tout le week-end?

– Je n'ai rien fait! Voilà!

– Oh!

Il prit une pierre et la lança. Elle ricocha sur l'eau.

– Rentrons à la maison maintenant, d'accord? Papa veut te parler avant de partir.

– Je reste ici jusqu'à ce qu'il parte.

– Mais...

– Pourquoi tu ne vas pas lui dire ça de ma part?

Je frissonnai et me frottai les bras pour me réchauffer. Bruce chercha dans sa poche et en sortit un bonnet de ski.

– Tiens, dit-il en le posant sur mes genoux.

Et puis il remonta la pente en courant vers la maison.

Mes yeux se remplissaient de larmes. Je reniflais et fouillais dans mes poches pour trouver un mouchoir, mais mes poches étaient vides. Je mis le bonnet de Bruce.

Quelques minutes après, Papa gara sa voiture juste à côté du sentier.

– Steph! cria-t-il en me faisant signe de le rejoindre.

Je fis comme si je ne l'avais pas vu.

Alors Papa descendit vers l'étang.

– Tu nous as manqué ce week-end, dit-il en s'asseyant à côté de moi, sur la bûche.

Je ne dis rien.

Il prit une branche et se mit à gratter le sol avec.

– Je suis désolé que tu aies tout découvert de cette façon-là. Maman et moi aurions dû t'en parler avant.

Je ne répondis toujours rien.

– Ecoute... dit-il, je voulais juste que tu saches que quoi qu'il arrive, je serai toujours ton père.

– Est-ce que tu as trouvé ça dans un livre ? demandai-je. Dans un livre qui explique aux parents comment parler à leurs enfants quand ils se séparent parce qu'ils en ont marre de la vie qu'ils mènent ?

– Je ne l'ai lu nulle part, dit Papa. Je te dis ce que je ressens. Et qui t'a raconté que j'en avais marre de la vie que je menais ?

– Maman... Qui d'autre ? (Un écureuil passa devant nous. Je le regardai une minute et puis je me retournai vers Papa.) C'est vrai ?

– Je suppose que c'est vrai, dans un sens... Mais ça n'a rien à voir avec toi et Bruce.

– C'est à cause de Maman ?

– Non, pas exactement... mais à cause de la direction qu'a prise notre mariage.

– Et pendant tout ce temps, moi j'ai cru que tu étais *obligé* d'aller en Californie. (Je crachais littéralement mes mots.)

– Il fallait qu'on soit un peu loin l'un de l'autre pendant un moment... pour réfléchir.

– Et pourquoi tu ne peux pas réfléchir dans le

Connecticut ou à New York ? Pourquoi faut-il que tu traverses tout le pays pour réfléchir ?

– Ça me semblait plus facile à ce moment. (Il regarda sa montre.) J'ai un avion à prendre.

– Les avions sont plus importants que la famille, c'est ça ?

Il retint sa respiration mais ne nia pas.

– J'aimerais que Bruce et toi veniez à Los Angeles pour Noël, dit-il. Comme ça, on aura plus de temps pour parler. (Il se pencha pour m'embrasser mais je m'écartai.) Tu rends tout très difficile, Steph.

– Bien, lui dis-je.

*
**

Ce soir-là, Rachel m'appela.

– Notre week-end a été un vrai désastre, dit-elle. Mon frère a été tellement odieux qu'il a fait pleurer Maman et Jessica. Papa s'est mis en colère et, pour finir, Charles est parti de chez ma tante avec fracas et il est allé habiter chez des amis. Je ne sais pas pourquoi il se montre si impossible. Je ne sais pas pourquoi il ne réussit pas à s'entendre avec nous. En tout cas, je ne peux pas imaginer un Thanksgiving pire que celui-là ! (Elle s'arrêta pour reprendre sa respiration.) Et comment s'est passé ton week-end ?

– Super.

– Comment allait ton père ?

– Super.

– Qu'est-ce que vous avez fait ?

– Nous avons beaucoup mangé.

Rachel éclata de rire.

– Tu es allée à New York ?

– Non.

– Je croyais que tu devais y aller.
– Pas le temps.
– Ton père revient quand ?
– Il ne sait pas encore.
– Pour Noël ?
– Probablement.
– Eh bien... le temps entre Thanksgiving et Noël passe toujours très vite.
– Ouais, c'est vrai.
– Oh ! J'allais presque oublier, dit Rachel, j'ai réussi le concours d'entrée de l'orchestre d'Etat.
– Vraiment ?
– Oui. La lettre m'attendait quand je suis rentrée à la maison. Stacey Green a réussi elle aussi. Nous allons être vraiment occupées avec toutes les répétitions. En avril, il y aura un concert. Tu viendras, hein ?
– Bien sûr.
– Bien... Je suis contente que tu aies passé un bon week-end.
– Ouais. A demain.
Une heure plus tard, Alison appela.
– Salut... je suis rentrée.
– Comment s'est passé ton Thanksgiving ? demandai-je.
– Léon et Sadie se sont disputés.
– Comment peut-on se disputer avec Sadie ?
– Elle dit que Léon est le seul qui y réussisse.
– Je croyais qu'il était fier d'elle.
– Ouais, mais tu vois... les amis de Sadie envoient sans arrêt des manuscrits à Léon pour qu'il les lise. Ils connaissent tous quelqu'un qui essaie d'écrire. Mais Léon ne supporte pas de regarder le travail d'autres personnes. Alors il a dit à Sadie : *Si je vou-*

lais faire ça, je serais professeur et pas écrivain. Alors Sadie a dit : *Qu'est-ce que je vais dire à mes amis ?* Et Léon a répondu : *Dis-leur que ton fils est un égoïste qui veut garder son temps libre pour lui.* Alors Sadie a dit : *Mes amis vont être très déçus.* Alors Léon a explosé et il a dit à Sadie qu'elle ne comprenait rien à son travail. Et puis il est sorti de la maison en claquant la porte, Sadie a fini en larmes, Maman s'est enfermée dans la chambre à coucher et elle ne voulait plus sortir. C'était très déprimant.

– C'était avant le dîner de Thanksgiving ou après ?

– Après. Sadie ne lui a pas montré les manuscrits avant vendredi soir.

– C'était intelligent de sa part. Alors est-ce qu'ils se sont réconciliés pour finir ou quoi ?

– Oui, mais pas avant le samedi matin. (Elle fit une pause.) Et toi, comment s'est passé ton week-end ?

– Super !

– Bon, je suis contente qu'il y ait au moins une personne qui se soit amusée.

⁂

Plus tard, en sortant de la salle de bains pour aller dans ma chambre, Bruce m'appela de la sienne.

– Quoi ? demandai-je, debout à sa porte.

Il était assis sur son lit avec un atlas sur les genoux.

– Papa dit que je dois faire comme s'il était en voyage d'affaires. Il dit que c'est seulement une séparation à l'essai.

J'allai m'asseoir au bout de son lit. L'atlas était ouvert sur une carte de la Californie.

– Est-ce qu'il t'a expliqué ce que ça voulait dire ?

– Ça veut dire qu'ils vivent chacun de leur côté pour réfléchir.

– Est-ce qu'il t'a dit quelque chose d'autre ?

– Non... sauf que nous allions en Californie pour Noël. Est-ce que tu préférerais aller à Marineland, Disneyland ou Universal Pictures* ?

– Il se pourrait que je ne vienne pas du tout, dis-je.

– Alors je n'irai pas non plus.

Il ferma l'atlas avec un air très triste.

– Nous ne sommes pas obligés de décider tout de suite, dis-je de mon ton le plus rassurant. Et je crois que c'est une très bonne idée de faire comme s'il était en voyage d'affaires. Je pense qu'on devrait dire ça tous les deux, parce qu'avant que tu ne t'en rendes compte, ils seront probablement à nouveau ensemble. Je parie qu'ils seront ensemble à mon anniversaire. (Je voyais que ça réconfortait Bruce, alors je continuai.) Tu sais, Miri Levine, la fille de ma classe ? Eh bien, ses parents ont divorcé quand nous étions en CE2, et quand nous sommes arrivées en CM2, ils se sont remariés... l'un avec l'autre.

– C'est vrai ? demanda Bruce.

– Oui. Alors ne parlons pas de cette séparation à nos amis sinon nous serons obligés de tout expliquer une nouvelle fois quand ils se remettront ensemble.

– Tu ne crois pas qu'ils vont divorcer ? demanda Bruce.

– Non. Qui parle de divorce ?

– Je pense que je vais dormir maintenant, dit

* Studios de cinéma en Californie.

Bruce. Dis à Maman qu'elle peut venir m'embrasser, d'accord ?

Il se glissa sous sa couette.

– Bonne nuit, dis-je.

Comme je partais, il me dit :

– Steph...

– Oui ?

– Ce n'était pas si drôle que ça à New York, sans toi.

– Ça ne m'étonne pas.

Je dansai et chantai en sortant de sa chambre. *Donne-moi à manger, Seymour... donne-moi à manger.*

Je me sentais nettement mieux en me couchant. C'est drôle, mais quand on essaie de réconforter quelqu'un d'autre, on se sent mieux soi-même.

24
Peter Klaff

Tout était pareil à l'école, sauf que Jérémy Dragon portait un blouson d'hiver. Le lundi matin, nous fîmes un exercice d'alerte au feu avant le premier cours. En revenant vers la salle de classe, Peter Klaff me raconta qu'on lui avait enlevé deux verrues sur le majeur pendant le week-end.

– C'est ta mère qui l'a fait ? demandai-je.

– Oui... avec de la neige carbonique, dit Peter. Ça brûlait.

Il me mit son doigt juste devant le nez.

– Tu vois ça, juste là. Elles étaient là.

Peter Klaff ne s'était jamais avancé aussi près de moi. Je fis semblant d'être très intéressée par les marques noires sur son doigt. Je les ai même touchées, juste pour montrer que ça m'intéressait. Peter grandit. Il m'arrive au-dessus des yeux maintenant.

– Ça doit être bizarre d'avoir sa mère comme docteur.

En disant ça, je me représentais mentalement la famille Klaff assise autour de la table en train de dîner. Je pouvais entendre le Dr Klaff dire : *Stéphanie Hirsch est venue passer son examen annuel aujourd'hui. Sa poitrine commence à pousser.*

Il est temps, disait Peter, entre deux bouchées.

J'imagine qu'elle va bientôt avoir ses règles, disait le Dr Klaff, en se resservant des pâtes.

Je suis content que tu en parles, Maman, disait Peter. *Désormais, je regarderai dans sa culotte pour voir s'il y a une trace rouge.*

C'est très attentionné de ta part, Peter, disait le Dr Klaff. *Il y a tellement de garçons de ton âge qui disent n'importe quoi à propos des règles. Tiens, voilà le pain.*

Je devais avoir un air bizarre, parce que Peter me dit :

– Quoi ?

– Rien, dis-je. Je me demandais simplement si ta mère parlait de ses patients à la maison... au dîner par exemple.

– Non. Elle parle des Mets*. Elle adore le base-ball.

– Et quand la saison de base-ball est finie... maintenant par exemple ?

– De films, dit Peter. Elle adore les films également.

– Oh ! (Ça me rassurait.) Je pensais qu'elle parlait peut-être de maladie et de trucs comme ça.

– Presque jamais, dit Peter.

C'était la conversation la plus longue que nous ayons jamais eue. Et je n'avais pas envie qu'elle s'arrête tout de suite, alors je dis :

– Est-ce que tu utilises du shampooing aux pommes ?

– Oui, dit-il. Comment le sais-tu ?

– Je le sens, dis-je. Ça sent bon.

Il s'approcha encore plus près de moi, se mit sur la pointe des pieds et renifla mes cheveux.

* Mets : célèbre équipe de base-ball new-yorkaise.

– Tes cheveux aussi sentent bon. Comme, euh...
– Des amandes, lui dis-je.
– Oui, comme des amandes.

Le matin suivant, en entrant dans la classe, je trouvai une petite bouteille en plastique sur mon bureau. Sur le côté, il y avait un dessin de pomme. Je l'ouvris pour sentir ce qu'il y avait dedans. Du shampooing aux pommes ! Je regardai Peter Klaff. Nous nous sourîmes et je mis la bouteille dans mon sac. C'était le premier cadeau que je recevais d'un garçon. J'étais contente qu'Alison soit en train de parler avec Miri Levine et qu'aucune d'elles n'ait remarqué le regard que nous avions échangé, Peter et moi.

Le matin suivant, Mme Remo arriva en retard. Pendant que nous attendions pour voir si elle serait remplacée, Eric Macaulay fit une plaisanterie dégueulasse. Alison lui lança une chaussure et dit :

– C'est la blague la plus grossière que j'aie jamais entendue !

Au moment où sa chaussure vint frapper la tête d'Eric, Mme Remo entra dans la classe.

– Vraiment ! dit Mme Remo. Ce n'est pas le genre de conduite que j'attends de mes élèves quand je suis en retard. Alison et Stéphanie... vous viendrez me voir toutes les deux cet après-midi après les cours.

J'étais choquée. D'abord, je n'avais rien fait de mal. Ensuite, je n'avais jamais vu Mme Remo d'aussi mauvaise humeur.

Au déjeuner, nous en parlâmes à Rachel. Elle n'arrivait pas à y croire elle non plus.

– Simplement parce que tu lui as lancé ta chaussure ? demanda-t-elle à Alison.

– Oui, dit Alison.

Et puis j'ajoutai :

– Et quand Alison a essayé d'expliquer que je n'avais rien fait, Mme Remo a dit : *Tu réfléchiras peut-être avant d'agir la prochaine fois.* Qu'est-ce que ça avait à voir ? demandai-je à Rachel. Je veux dire, est-ce que tu y comprends quelque chose ?

– Non, dit Rachel.

– Elle est comme ça depuis que nous sommes rentrés en classe après Thanksgiving, dit Alison.

– Elle n'a peut-être pas passé un bon week-end, suggéra Rachel.

– Mais il y a probablement plein de gens qui n'ont pas passé un bon Thanksgiving, dit Alison.

Je ne dis rien. Je me contentai de sortir mon déjeuner de son papier et je commençai à manger.

⁂

Le jeudi soir, j'étais dans le garde-manger en train de téléphoner à Alison et de manger un sachet de cookies aux flocons d'avoine. Le téléphone sonna dès que j'eus raccroché. Je décrochai, m'attendant à entendre Rachel ou peut-être Alison, qui oublie parfois de me dire quelque chose et me rappelle aussitôt. Mais c'était Peter Klaff. Il me demanda un renseignement en maths. Je le lui donnai. Et puis il dit :

– Merci beaucoup, et il raccrocha.

Je n'en revenais pas : Peter Klaff qui m'appelait ! Il aurait pu demander le renseignement à sa sœur. Elle est dans le même cours de maths. Je compris qu'il n'appelait pas seulement pour ça.

Plus tard Papa appela, mais je refusai de lui parler.

– Dis-lui que je suis sous la douche, demandai-je à Bruce.

Avant d'aller dormir, je pris vraiment une douche. Et je me lavai les cheveux avec le shampooing aux pommes de Peter Klaff. Quand je me mis au lit, je regardai Benjamin Moore. Peter n'est pas un beau mec comme Benjamin. Et il n'est pas aussi sexy que Jérémy Dragon. Mais pour un garçon de sixième, il n'est pas mal. Je pense que je pourrais me décider à bien l'aimer.

25
La saison du partage

L'orchestre symphonique va jouer pour le spectacle de Noël-Hanoukah. C'est une comédie musicale originale appelée *la Saison du partage*, l'histoire d'un couple moderne, Mary et Joe, qui sont de religions différentes. Ils veulent que leurs enfants comprennent et respectent les célébrations des deux religions, alors ils leur parlent, chacun à son tour, de Noël et de Hanoukah.

Dana Carpenter joue Mary et Jérémy Dragon Joe, alors ça me fait extrêmement plaisir de faire partie de l'orchestre. A la première répétition, je ne pouvais pas détacher les yeux de Jérémy et c'est comme ça que j'ai raté le signal : Mme Lopez a été obligée d'interrompre tout l'orchestre.

– On aurait dû entendre un roulement de tambour à ce moment-là, dit-elle. Essayons de rester éveillé au tambour, s'il vous plaît. (J'avais tellement honte !)

Après une semaine de répétition, Dana et Jérémy commencèrent à agir comme s'ils étaient *vraiment* Mary et Joe. Au lieu d'aller s'asseoir à l'arrière du bus avec ses amis, Jérémy s'installait devant avec Dana maintenant. Et dans les couloirs de l'école, ils se tenaient la main et se regardaient avec des yeux de vaches malades. Je me demande si un garçon me regardera comme ça un jour. A l'arrêt de bus, Dana sourit et fredonne toujours tout bas. Je crois qu'elle ne s'en rend même pas compte. Je me demande si elle sait qu'il a les jambes poilues.

J'ai tellement de travail à l'école que je n'ai pas le temps de penser à mes parents. Mais parfois, quand je m'y attends le moins, j'ai mal au ventre ou j'ai la jambe qui commence à me démanger. Ça m'est arrivé dans le vestiaire, pendant que nous nous changions pour la gym. Je me suis assise sur le banc pour me gratter la jambe.

– Qu'est-ce qui ne va pas ? demanda Rachel.

– Rien.

Rachel enfila son short de gym et rentra sa chemise à l'intérieur.

– Tu vas peut-être avoir tes règles.

– Quel rapport y a-t-il entre le fait que je me gratte la jambe et le fait que je vais avoir mes règles ?

Alison n'attendit pas que Rachel réponde.

– Pourquoi ne me dis-tu jamais que je vais avoir mes règles à moi ? demanda-t-elle à Rachel.

– Steph est plus développée que toi, dit Rachel.

– Mais j'ai mangé beaucoup de bananes, dit Alison.

– Des bananes ? répéta Rachel.

– J'ai entendu dire que les bananes faisaient grossir rapidement, dit Alison. Et si je grossis, je grandirai peut-être en haut. Et si je grandis en haut...

– Quel âge avait ta mère quand elle a eu ses règles ? demanda Rachel.

– Gena avait douze ans, dit Alison.

– Parce que généralement, c'est un héritage génétique, continua Rachel.

– Oh ! dit Alison. Je n'ai aucune idée de l'âge qu'avait ma mère naturelle quand elle a eu ses règles.

– En tout cas, elle devait les avoir à quinze ans, dis-je à Alison, puisque c'est à cet âge qu'elle t'a eue... non ?

Alison hocha la tête.

Je me levai. Ma jambe avait arrêté de me démanger.

– Je crois quand même que tu vas avoir tes règles, dit Rachel.

– Je te promets que tu seras la première à l'apprendre.

– Et moi ? demanda Alison.

– Vous serez les deux premières à le savoir... d'accord ?

– D'accord, dirent-elles en chœur.

***

Le samedi après-midi, nous nous réunîmes toutes les trois chez Rachel pour parler de Dana et Jérémy.

– Visiblement, ils sont amoureux, dit Alison.

– Puisqu'il devait tomber amoureux d'une fille de quatrième, je suis contente que ce soit Dana.

– Moi aussi, ajouta Rachel. Au moins, elle est intelligente.

Je m'allongeai par terre avec un sachet de chips

– Pas de miettes, s'il te plaît, dit Rachel.

– Tu es tellement vieillotte ! (C'est elle qui m'a appris ce mot.)

– Je pense que tu veux dire méticuleuse, dit Rachel, parce que vieillotte, ça veut dire poussiéreuse ou démodée.

– Alors tu es méticuleuse, dis-je, en me fourrant une poignée de chips dans la bouche.

– Il vaut mieux être méticuleuse que débraillée, dit Rachel.

– Je ne suis pas vraiment débraillée, dis-je. Mais je ne suis pas aussi parfaite que toi.

– Je ne suis pas parfaite, dit Rachel. Je suis tout simplement organisée.

– J'aimerais bien être à moitié aussi organisée que toi, dit Alison.

Elle tournait dans la chambre et faisait courir ses doigts sur les rangées de dessins encadrés sur l'armoire de Rachel, et sur les petites bouteilles de parfum, la collection de boîtes et de petits pots peints sur la table.

Quelquefois, quand Alison est chez Rachel, elle regarde ses vêtements dans son placard et elle admire la façon dont ils sont tous rangés dans le même sens.

– Je parie que tu n'as jamais de problème pour trouver ce que tu veux, dit-elle.

– Jamais, répondit Rachel.

Alison inspectait la bibliothèque de Rachel, avec les livres rangés par ordre alphabétique, selon le nom de famille de l'auteur.

– Oh ! J'ai lu celui-là, dit-elle, en prenant un exemplaire de *la Vie avec Papa*. C'est drôle.

– Ouais... mais si c'était écrit aujourd'hui, ça s'appellerait probablement *la Vie sans Papa*, dis-je. (Je me forçai à rire de ma propre plaisanterie. Rachel et Alison me regardèrent.) Je veux dire... continuai-je, en essayant de leur expliquer, qu'il y a tellement de pères qui voyagent pour leur travail !

Alison hocha la tête.

– Je suis si contente que Léon ne soit pas obligé de voyager.

Elle remit le livre sur l'étagère.

– En parlant de voyage... nous allons dans notre maison en Californie pour Noël.

– Vraiment? dis-je. Mon père aussi veut que nous y allions pour Noël.

– Tu pourrais peut-être venir me voir à Malibu, dit Alison.

– Vous allez partir toutes les deux pour Noël? demanda Rachel. Vous allez me laisser seule toutes les deux?

– Stacey Green sera là, non? demandai-je.

– Je ne sais pas, dit Rachel. Mais ce n'est pas une amie comme vous. C'est une copine du cours de musique, c'est tout.

– Oui, mais elle a dormi chez toi le dernier week-end, non? demandai-je.

– Oui, mais seulement parce que nous avions une répétition pour l'orchestre d'Etat.

– C'est simplement pour deux semaines, lui dit Alison.

– Deux semaines! gémit Rachel. Est-ce que vous savez que les vacances de Noël sont la période pendant laquelle il y a le plus de gens déprimés, plus qu'à n'importe quel autre moment de l'année? Et c'est parce qu'ils n'ont personne de proche avec qui passer les fêtes! (Sa voix se brisa.)

Personne ne parla pendant une minute, puis Alison dit :

– Je vais demander à ma mère si tu peux venir avec nous à Malibu.

– Je ne pourrai probablement pas quitter ma famille pendant les vacances, lui dit Rachel. Ils ont besoin de moi.

Et puis elle fit un petit bruit, un peu comme un glapissement, et sortit de la chambre en courant, les mains sur le visage. Nous entendîmes la porte de la salle de bains se fermer à clé. Et puis nous entendîmes Rachel pleurer.

Alison et moi nous regardâmes.

– Elle est très sensible, non ?

– Oui, et c'était très gentil de ta part de l'inviter, dis-je.

– Même comme ça... je me sens mal. Je n'aurais pas dû te dire de venir me voir à Malibu.

– Elle va se remettre.

– J'espère.

⁂

Maman ne vient pas à Los Angeles avec Bruce et moi. Elle va à Venise, en Italie. Elle dit que ça sera dur d'être loin de nous, mais qu'elle a toujours voulu voir Venise et que c'est l'occasion rêvée, parce qu'il y a un séjour organisé là-bas pour tout un groupe d'agents de voyages. Elle semble tout excitée par ce projet, beaucoup plus enthousiaste que moi à l'idée d'aller en Californie.

Je n'ai pas parlé à Papa au téléphone depuis Thanksgiving. Je suis tendue quand il appelle. Je demande toujours à Bruce d'inventer une excuse pour moi. Mais quand le téléphone a sonné samedi soir, je suis allée répondre sans réfléchir et c'était lui.

– Tu as dû être très occupée ces derniers temps, dit-il.

– Oui.

J'avais les mains moites. Je me dis à moi-même que c'était mon père et qu'il n'y avait aucune raison de paniquer tout simplement parce qu'il était au bout du fil.

– Quel temps fait-il ? demanda-t-il.

– Il y a du soleil mais il fait très froid.
– Qu'est-ce que tu fais à l'école ?
– Des répétitions pour le spectacle de Noël. Dommage que tu ne sois pas là pour le voir.
– J'aimerais bien venir.
– J'imagine.
– Stéphanie...
– Il faut vraiment que j'y aille maintenant, lui dis-je. J'appelle Bruce.

Maman vint me voir dans ma chambre plus tard.

– J'ai entendu par hasard une partie de ta conversation avec Papa, dit-elle, et je pense que tu devrais essayer d'être plus objective. Tu lui reproches quelque chose qui n'est pas entièrement de sa faute.
– Je croyais que tu avais dit que c'était son idée.
– D'aller en Californie... oui. Mais je désirais cette séparation moi aussi. Je ne voulais pas en être à l'origine, c'est tout. Papa a pris l'initiative. Et à long terme, c'est probablement mieux comme ça.
– Je suis contente que vous aimiez tant cette idée tous les deux !

⁂

Le soir suivant, quand Maman rentra du travail, elle posa un sac sur mon lit.

– Je suis passée devant un magasin de sport et ils avaient des maillots de bain Speedo. J'ai pensé que tu pourrais en avoir besoin pour Los Angeles.

Je crois que Maman a remarqué que j'avais grossi. Je ferme mon jean avec une épingle de sûreté maintenant et je porte de grandes chemises au-dessus pour cacher l'évidence ! Mon short de gym devient un peu serré lui aussi, mais il a une taille élastique, alors je peux encore entrer dedans.

J'ai essayé le maillot de bain. Il est bleu, avec une bande blanche en diagonale. Je suis affreuse dedans. Je suis grosse.

⁂

La Saison du partage fut un grand succès. Le soir, Maman et Bruce ont assisté à la représentation et ensuite Rachel et Alison sont venues à la maison. C'était le dernier moment où nous pouvions nous échanger nos cadeaux avant de partir en vacances. Tous nos cadeaux étaient violets, mais nous ne l'avions pas fait exprès. C'était le hasard. Je suppose que c'est parce que le violet est notre couleur préférée.

J'ai donné à Alison et Rachel un jeu de barrettes peintes à la main avec des petites fleurs violettes dessus. Rachel nous a donné à chacune des tee-shirts violets avec « AMIES » écrit dessus et Alison nous a donné des cadres en cuir violet. Dedans, il y avait une photo de nous trois, avec Maizie, Burt et Harry. C'était une photo que Léon a prise juste avant Thanksgiving. Nous avions dû porter Burt et Harry chez Alison dans leur cage, celle que les Robinson utilisent pour les emmener chez le vétérinaire. Sur la photo, nous sommes assises sur le lit d'Alison, en train de rire à tue-tête. Alison tient Maizie, Rachel tient Burt et moi je tiens Harry, qui essaie de s'échapper. C'est une photo super.

Mais quand Rachel la vit, elle se mit à pleurer.

– Je vais mourir de solitude sans vous deux !

Et puis ça a gagné Alison et, une minute après, j'étais en larmes moi aussi. Finalement, Maman est entrée dans ma chambre et nous a demandé si tout allait bien. Nous lui avons expliqué ce qu'il y avait et

Maman nous a demandé si nous voulions une pizza et, bien sûr, nous avons répondu oui.

Pendant que nous attendions, j'ai chanté à Rachel et Alison une chanson que j'avais apprise en colonie. Elle s'appelle *Côte à côte.* La partie que je préfère est :

Par tous les temps
Même si le ciel s'écroule
Tant que nous restons ensemble
Ça n'a vraiment pas d'importance.

Nous l'avons chantée une vingtaine de fois environ et, pour finir, nous riions tellement fort que nous étions incapables de nous arrêter.

26
Iris

Chère Rachel,

Eh bien, me voilà sous le soleil de la Californie ! C'est tellement bizarre ici ! Il fait un temps d'été mais il y a des décorations de Noël partout.

Quand on s'installe sur la terrasse de l'appartement de Papa, on peut voir les gens jouer au volley-ball sur la plage. Et il y a une marina avec des centaines de bateaux tout près de la maison. Bruce aime bien se promener ici avec sa nouvelle amie, Shirley. Shirley est venue rendre visite à son père, qui a divorcé. Elle a dix ans, comme Bruce. Je suis contente que Bruce ait trouvé une amie, parce que maintenant je peux faire tout ce que je veux et il y a tellement à faire ici...

Je continuai ma lettre à Rachel sur trois pages, mais je ne lui dis pas la vérité, sauf pour la description de l'appartement de Papa. Je ne lui racontai pas que je me sentais mal, que j'avais le mal du pays ou que Bruce faisait des cauchemars. Nous dormons l'un à côté de l'autre sur des lits convertibles dans la salle de séjour. Alors chaque nuit, je me lève pour aller près de lui et je le réconforte jusqu'à ce qu'il se rendorme.

Je n'ai pas dit à Rachel qu'il ne fait pas toujours

beau, que parfois il fait humide et qu'il y a du brouillard, que l'Océan est glacé et qu'aucune personne sensée n'irait se baigner. Je ne lui ai pas dit que Maman n'était pas avec nous. Et je ne lui ai absolument pas parlé d'Iris.

Iris est l'amie de Papa. En tout cas, c'est comme ça qu'il nous l'a présentée.

– Les enfants, voilà mon amie, Iris. Elle habite en bas. Nous nous sommes rencontrés dans la buanderie de l'immeuble.

– J'ai beaucoup entendu parler de vous, dit Iris.

– Moi, je n'avais jamais entendu parler de vous, ai-je répondu.

Le premier soir en Californie, quand je suis arrivée pour le dîner, Papa m'a examinée et a dit :

– Eh bien, Steph... tu as vraiment grossi.

J'espérais qu'il aurait ajouté quelque chose d'autre, quelque chose comme : *Mais moi je te trouve toujours magnifique !* Mais comme il ne l'a pas dit, j'ai répondu :

– Je n'ai pas pris un gramme. C'est simplement que tu ne te rappelles plus comment j'étais.

Et puis Iris a dit :

– Tu pourrais peut-être venir faire de la gymnastique avec moi. J'y vais tous les jours à quatre heures.

– C'est une bonne idée, dit Papa.

– J'ai d'autres projets, leur dis-je à tous les deux.

Et tout de suite, je compris que ces deux semaines allaient être très longues.

Je suppose que ça aurait pu être pire. Iris aurait pu ressembler à une de ces filles sur la plage qui jouent toujours au volley-ball. Elles sont grandes, bronzées et très minces, avec de longs cheveux blonds, et elles prononcent *Saaaaluuut* comme si c'était un mot de six syllabes. Mais Iris est petite, elle a des cheveux noirs courts, la peau pâle et crémeuse. Elle n'est même pas jeune. Elle a trente-six ans. Elle est divorcée mais elle n'a pas d'enfants. Je savais dès le début que Papa et Iris n'étaient pas simplement amis. Je le voyais à la façon dont ils se regardaient — comme Jérémy et Dana — avec des yeux de vaches malades.

Iris travaille dans une société de production. Son métier, c'est de trouver des livres qui feraient de bons films. Ça semble facile : tout ce qu'elle a à faire, c'est de lire. Mais pendant les vacances, elle a lu à la maison au lieu de lire au bureau. Sauf qu'*à la maison* pour elle, ça voulait dire chez Papa. Nous étions là depuis deux jours quand je demandai à Papa :

– Est-ce qu'Iris n'a pas d'autres amis ?

– Bien sûr que si, dit Papa. (Lui non plus n'allait pas au bureau.)

– Alors pourquoi traîne-t-elle toujours ici ?

– Je crois que ses autres amis sont partis en vacances.

– Et sa famille ? demandai-je. Elle n'a pas de famille ?

– Non, dit Papa, elle n'en a pas.

Je pensais à ce que Rachel nous avait dit sur les gens qui se sentaient très déprimés pendant les vacances s'ils n'avaient pas d'amis ni de famille. Donc je n'ajoutai rien, enfin, pas sur le moment, en tout cas.

J'ai décidé que la meilleure façon de passer ces deux semaines, c'était de dire à Papa que j'avais beaucoup de travail pour l'école.

Des tonnes de choses à lire, voilà comment je l'ai présenté. Papa et Iris ont été impressionnés et ils m'ont laissée tranquille.

Je n'ai pas mis le maillot de bain que Maman m'a acheté. Personne n'a trouvé ça bizarre, parce qu'Iris ne met pas de maillot de bain non plus. Elle prétend qu'elle est allergique au soleil. Je lui ai dit que c'était une coïncidence, parce que moi aussi. Quand Iris va dehors, elle met une capeline en paille. Le seul maquillage qu'elle ait, c'est du brillant à lèvres, qu'elle transporte toujours dans sa poche, et elle en met sur les lèvres une centaine de fois par jour environ. Je me demande si Papa en a sur le visage quand ils s'embrassent. Je déteste les imaginer en train de s'embrasser ! Mais je suis sûre qu'ils le font. Iris touche Papa sans arrêt. Elle le touche beaucoup plus qu'il ne la touche, mais je ne l'ai jamais entendu se plaindre. Je me demande si Maman est au courant.

Nous avons mangé dehors tous les soirs, dans des restaurants assez chics où j'ai commandé des repas énormes que j'ai mangés jusqu'à la dernière bouchée.

– Tu as vraiment bon appétit, dit Iris un soir.

– Oui, dis-je, Papa a de la chance... imagine qu'il ait une fille qui fasse de l'anorexie.

– Mmm... dit Iris. (Elle dit souvent ça.)

Tout le monde est mince ici. Tout le monde sauf moi. Qui s'en préoccupe, de toute façon ? Depuis que je suis arrivée, j'ai mangé comme je voulais, à chaque fois que j'en avais envie.

Après le dîner, nous jouons souvent au Scrabble et je mange de la glace ou des cookies, ça dépend de ce que j'ai pris comme dessert au restaurant. Je fais des progrès au Scrabble. Une fois, j'ai gagné trente-deux points avec le mot *vieillotte*. Iris m'a demandé si je savais ce que ça voulait dire.

– Oui, lui ai-je dit. Ça a deux sens, ça veut dire

poussiéreuse et *démodée*. Elle n'en revenait pas que je connaisse tant de choses.

⁂

Hier, Papa a emmené Bruce à la pêche. Le bateau est parti à cinq heures du matin. Papa voulait que je vienne avec eux mais j'ai dit :

– Non merci. Je n'aime pas l'idée de la pêche. C'est sanguinaire et dégoûtant.

J'ai été vraiment choquée que Bruce veuille y aller. Après tout, la pêche est un acte violent, mais je n'en ai pas parlé avec lui, parce que j'avais peur qu'il fasse encore plus de cauchemars, sur des poissons radioactifs cette fois.

– Si tu ne viens pas avec nous, je vais demander à Iris de te tenir compagnie, dit Papa.

– Je n'ai pas besoin d'une baby-sitter, lui dis-je.

– Ça ne dérangera pas Iris. Et vous pourrez passer toute la journée à lire toutes les deux.

Ça ne servait à rien de discuter.

J'ai dormi jusqu'à dix heures du matin et quand je me suis levée, Iris était déjà là, en train de lire sur la terrasse. J'entendais sa radio. Elle écoute de la musique classique toute la journée. Dans un certain sens, elle me fait penser à Rachel, le fait qu'elle lise un livre par jour et la musique qu'elle aime par exemple. Je me demande si Rachel sera comme Iris en vieillissant. Je me demande si Rachel et Iris s'entendraient bien, si Iris était « l'amie » de M. Robinson.

Je passai un short et une chemise et emportai la bouteille de jus d'orange sur la terrasse.

– Bonjour, dit Iris.

– 'jour, répondis-je, en buvant une gorgée de jus d'orange directement à la bouteille.

– Pourquoi ne prends-tu pas un verre, Stéphanie ? dit Iris. Ça serait plus hygiénique.

– Je m'en fiche, dis-je, en buvant une nouvelle fois à la bouteille.

– Je pensais à nous, dit Iris.

Je l'ignorai et essuyai le jus qui coulait de ma bouche avec le dos de la main.

– Alors... dis-je, depuis combien de temps toi et Papa vous vous connaissez ?

– Environ six semaines, dit-elle. Nous nous sommes rencontrés dans la buanderie de l'immeuble juste avant Thanksgiving.

Elle sourit en disant ça. Elle et Papa devaient trouver que c'était si mignon de se rencontrer dans une buanderie.

– Nous avons passé un merveilleux Thanksgiving, lui dis-je. Maman et Papa étaient si contents de se revoir ! (Je bus à nouveau à la bouteille.) Papa espérait que Maman viendrait ici pour les vacances, mais elle était obligée d'aller en Italie... pour son travail.

Je n'ai pas attendu la réaction d'Iris. Je suis rentrée pour chercher mon portefeuille dans mon sac en toile. Et puis je suis retournée sur la terrasse.

– Tu veux voir une photo de ma mère ? demandai-je, en regardant toutes les photos dans mon portefeuille.

Quand j'arrivai à celle de Maman, je l'exhibai sous le nez d'Iris.

– Elle est jolie, hein ?

Iris examina la photo.

– Elle a une agence de voyages qui marche très bien, dis-je. Elle aime beaucoup son travail. Elle gagne beaucoup plus d'argent que Papa. (Je ne savais pas du tout si c'était vrai, mais ça sonnait bien.) Ils sont mariés depuis quinze ans, ajoutai-je. Le vingt-quatre mai, c'est leur anniversaire de mariage.

Iris fit un signet avec un bout de kleenex qu'elle mit à la page qu'elle était en train de lire. Et puis elle ferma son livre et le posa sur ses genoux.

– Je sais ce que tu penses de moi, Stéphanie, dit-elle, en me regardant droit dans les yeux.

– Non, tu ne le sais pas, lui dis-je.

– D'accord... peut-être que je ne le sais pas exactement, mais...

– C'est ça. Tu ne le sais pas exactement.

– Eh bien, tu ne le caches pas, dit Iris.

Je me penchai sur la balustrade de la terrasse pour regarder en bas.

– Mes parents essaient de résoudre leurs problèmes, lui dis-je, et je ne pense pas que Papa puisse résoudre quoi que ce soit si tu traînes ici jour et nuit.

– S'il te plaît, fais attention à ce que tu fais ! dit Iris alors que je me penchai encore plus.

Je sentis le jus d'orange me remonter dans la gorge. Si je tombais, pensais-je, je ne mourrais probablement pas. Je me casserais simplement un bras ou une jambe. Nous ne sommes qu'au deuxième étage.

– Tu perds ton temps si tu crois que Papa va t'épouser, dis-je, parce que c'est juste une séparation à l'essai, et ça veut dire que tu n'es qu'une petite amie à l'essai. (Je me relevai et allai m'asseoir dans le transatlantique, en face d'Iris, les bras croisés sur la poitrine.) Alors pourquoi tu ne cherches pas quelqu'un d'autre ?

Les larmes perlèrent au bord des cils d'Iris

– Tu sais, au début, je voulais que tu m'aimes bien, dit-elle, mais maintenant je m'en fiche que tu m'aimes bien ou pas. (Elle se releva d'un bond.) Excuse-moi... Je viens de me rappeler que j'ai quelque chose à faire chez moi.

– Prends ton temps ! lui criai-je.

Je passai le reste de la matinée assise dans un transat sur la terrasse à regarder l'Océan et à me demander pourquoi je ne me sentais pas mieux maintenant que j'avais dit à Iris ce que je pensais d'elle.

Pendant que je déjeunais, Alison appela pour me demander de venir à Malibu le lendemain ou le surlendemain. Je lui dis que je ne pouvais pas.

Alison était déçue.

– Maman dit qu'elle enverra une voiture pour te chercher, comme ça ta famille ne devra pas faire le voyage.

– J'aimerais bien, dis-je, mais...

– Est-ce que tu essaies de me dire quelque chose ? demanda Alison.

– Et qu'est-ce que j'essaierais de te dire ?

– Que ça te gênerait d'être conduite dans une voiture avec un chauffeur ?

– Non, dis-je.

– Est-ce que tu as peur parce que tu crois que notre maison sera pleine de vedettes de cinéma ?

– Non... Je n'avais même pas pensé à ça.

En fait, une maison pleine de vedettes de cinéma, ça me semblait plutôt attirant, et j'adorerais voir la maison d'Alison. Et plus que tout, j'adorerais voir Alison. Mais je ne pouvais pas, c'est tout. Je ne pouvais pas lui expliquer ce qui se passait ici et je ne pouvais pas faire semblant de m'amuser alors que ce n'était pas vrai. Alison comprendrait tout de suite qu'il y avait quelque chose qui clochait.

– C'est très calme ici, dit Alison. Maman ne se sentait pas très bien, alors elle se repose beaucoup.

– Qu'est-ce qui ne va pas ?

– Léon dit qu'elle est épuisée après tous ses tournages.

– C'est trop bête.

– Mais je pourrais venir te voir chez ton père.

– Non, dis je rapidement. Il y a beaucoup de monde ici et...

– J'imagine que tu veux passer le plus de temps possible avec lui, dit Alison.

– Oui.

– Je comprends, dit Alison. Je ressens la même chose.

Au moment où je raccrochais le téléphone, Iris arriva. Elle ne dit pas un mot. Elle alla simplement s'installer sur la terrasse avec ses livres et sa radio.

Je sortis de l'appartement en courant et descendis les escaliers qui menaient à la plage. Oh, je la détestais ! Et je détestais Papa qui voulait qu'elle soit toujours là alors que c'étaient nos vacances à nous ! Je marchai le long de l'Océan pendant plus d'une heure. Quand je revins, j'avais du sable partout et les yeux qui piquaient à cause de l'air marin. Je savais qu'Iris raconterait à Papa ce qui s'était passé entre nous, alors je passai le reste de l'après-midi dans la baignoire, en préparant ma défense.

Ce soir-là, au lieu d'aller dîner au restaurant, Papa décida de cuisiner le poisson que Bruce et lui avaient pêché.

– Nous n'aimons pas le poisson, dis-je.

– Tu n'as jamais goûté de poisson aussi frais, dit Papa.

– Est-ce qu'il y a des arêtes ?

– Si tu en trouves une, tu la recraches c'est tout.

– Je pense que je vais prendre du thon, dis-je.

– Le thon, c'est aussi du poisson, dit Papa.

– Mais c'est une boîte, lui dis-je. Et il n'y a pas d'arêtes.

– Je vais prendre du thon moi aussi, dit Bruce.

Papa soupira.

– Vous ne savez pas ce que vous manquez tous les deux. Iris viendra peut-être pour m'aider à manger tout ce poisson.

Mais Iris dit à Papa qu'elle allait rester chez elle pour une fois, alors Papa a porté le poisson dans son appartement. Il est resté une heure chez elle.

Après le dîner, au lieu de jouer au Scrabble, Papa m'a appelée dans sa chambre. Il a fermé la porte et a dit :

– Tu as été très grossière avec Iris aujourd'hui.

– Je lui ai dit la vérité, dis-je. Je lui ai dit que toi et Maman essayez de résoudre vos problèmes, c'est ce que *tu* m'as dit.

– Je veux que tu traites mes amis avec respect, Stéphanie.

– Le respect, ça se mérite, dis-je.

– Où as-tu entendu ça ? demanda-t-il.

– Je l'ai lu dans un livre de Maman sur l'éducation des enfants.

– Je vois, dit Papa.

– Ça ne te ferait pas de mal à toi non plus de lire un de ces livres.

Papa éleva la voix.

– Je n'ai pas besoin que tu me dises ce que je dois lire !

– Je crois que je vais rentrer à la maison demain, dis-je, et ma voix se brisa. Je pense que je vais aller chez Grand-Lola jusqu'au retour de Maman.

– Tu ne rentreras pas à la maison avant le 2 janvier ! dit Papa.

– On verra ! lui dis-je en tournant les talons.

Il me suivit et m'attrapa par le bras.

– Tu resteras ici jusqu'au 2 janvier ! répéta-t-il.

Je secouai le bras pour qu'il me lâche.

– Qu'est-ce que je suis ? Une prisonnière ?

– Les prisonniers ne vont pas à Disneyland, dit Papa. Et c'est ce que nous allons faire demain.

– Est-ce qu'Iris vient avec nous ?

– Non... Iris a d'autres projets.

– Dommage, dis-je en quittant la chambre de Papa.

J'allai directement au réfrigérateur pour prendre le pot de beurre de cacahuètes. J'avais dit à Iris que nous ne mettions jamais le beurre de cacahuètes dans le réfrigérateur, mais elle ne m'avait pas écoutée. J'ouvris le pot, creusai à l'intérieur avec le doigt et sortis une bouchée toute froide que j'avalai. Ensuite, je suis allée me coucher.

***

Dans l'avion, en rentrant, je dis à Bruce :

– Maman et Papa ne seront probablement pas revenus ensemble pour mon anniversaire.

– Je sais, dit Bruce. (Il jouait à un de ces jeux où on doit bouger des petits carrés en plastique avec des chiffres dessus et les mettre dans le bon ordre. C'est le père de Shirley qui lui avait donné.) Ils vont probablement divorcer.

– Non, dis-je.

– Et Iris alors ?

– Iris, c'est simplement une passade.

– Qu'est-ce que c'est, une passade ? demanda-t-il.

– Une histoire d'amour qui ne dure pas.

– Comment tu le sais ?

– Parce que j'ai lu beaucoup d'histoires d'amour.

– Oh, dit Bruce. J'espère que tu as raison. (Il fit bouger quelques carrés en plus et puis il me mit son jeu sous le nez.) Regarde : j'ai réussi !

27
Les amies se retrouvent

J'étais tellement contente de renter à la maison ! Je téléphonai tout de suite à Alison puis à Rachel. Nous décidâmes de nous voir ce soir-là, juste après le dîner. Rachel me dit qu'elle viendrait d'abord chez moi, et qu'on irait ensemble chez Alison.

Quand Rachel sonna, j'allai ouvrir la porte.

– Salut... dit-elle. Bienvenue à la maison !

Elle ne cria pas, ne sautilla pas sur place comme avant, et moi non plus.

Dès que Maman entendit la voix de Rachel, elle descendit pour l'embrasser.

– Bonne année !

– Bonne année à vous aussi, dit Rachel. Comment c'était, Venise ?

Maman me lança un coup d'œil.

– C'était magnifique, dit-elle, lentement. Bien sûr, c'était dur d'être loin de la famille...

– Je vois ce que vous voulez dire, dit Rachel. Moi, je n'aurais jamais pu passer mes vacances loin de ma famille.

– Est-ce que Charles est rentré à la maison ? demanda Maman.

– Non, il est allé voir un copain d'école... en Floride.

– C'est une belle région à cette période de l'année.

– Je sais.

– Nous allons chez Alison maintenant, dis-je à Maman.

– Sois rentrée pour huit heures et demie, dit Maman. Tu as école demain. Et prends ta lampe de poche.

Aussitôt que nous fûmes sorties, Rachel dit .

– Ton père a dû être déçu.

– A propos de quoi ?

– Que ta mère aille à Venise.

– Oh oui... mais il a compris. Elle était obligée de partir. C'était un voyage d'affaires.

– Elle s'est quand même bien amusée, dit Rachel.

– Oui. (Je dirigeai la lampe de poche sur mon poignet.) Regarde ce qu'elle m'a rapporté. (Je portais un bracelet de « perles de Murano ».) Chaque perle est d'une couleur différente et décorée différemment.

– C'est joli, dit Rachel.

– Merci.

– Est-ce que vous vous êtes beaucoup vues, Alison et toi, en Californie ? demanda Rachel.

– Non.

– Comment ça se fait ?

– Pas le temps, lui expliquai-je.

– Mais tu es au moins allée dans sa maison à Malibu... hein ?

– Non. Nous ne nous sommes pas vues une seule fois.

– Quoi ? dit Rachel. Je n'arrive pas à le croire !

– Je sais.

– Mais pourquoi ?

– Je te l'ai dit... pas le temps. Mon père avait tellement de projets. La pêche, un voyage à Disneyland... Il y avait quelque chose de différent à faire chaque jour.

– Comment c'était, Disneyland ?

– Bruce a trouvé que c'était super, mais moi je pense qu'on devient trop grandes pour ça.

Je n'ajoutai pas que Papa m'avait accusée d'être ridicule et désagréable ce jour-là et que je lui avais dit que c'était de sa faute. En fait, Papa et moi nous ne nous sommes plus vraiment parlé après ma dispute avec Iris. Moi, j'espérais encore qu'il m'appellerait dans sa chambre pour me dire : *J'ai beaucoup réfléchi, Steph, et je comprends que Bruce, toi et Maman, vous êtes les personnes qui comptent le plus dans ma vie.* Mais il ne l'a pas fait. Il ne m'a même jamais dit qu'il m'aimait et que, quoi qu'il arrive, il m'aimerait toujours.

– Je n'arrive pas à croire que toi et Steph vous ne vous soyez même pas vues une seule fois ! dit Rachel à Alison.

– Je sais, dit Alison. J'étais vraiment déçue mais... *c'est la vie !*

« *C'est la vie* », c'est du français.

Gena et Léon sont sortis pour nous accueillir et nous souhaiter une bonne année.

Et puis nous sommes montées dans la chambre d'Alison. Rachel s'est allongée sur le lit et a commencé à brosser Maizie. Moi, je me suis assise par terre avec Alison. Elle a sorti une chemise en gaze bleue et une jupe d'une boîte enveloppée de papier cadeau avec des dessins de Noël, et elle les a dépliées pour nous les montrer.

– Voilà ce que Maman et Léon m'ont offert. Je

crois que c'est ce que je vais mettre pour la fête d'école cet hiver.

– Quelle fête ? demandai-je.

– La fête du jour des marmottes, dit Alison. Tu te souviens ?

– Oh ça ! J'avais complètement oublié. Je parie qu'aucun garçon de sixième ne sait danser de toute façon.

– Eh bien, nous leur apprendrons ! dit Alison.

Je m'imaginai en train d'apprendre à danser à Peter Klaff. Je lui dirais : *En avant, sur le côté, en arrière... en arrière, sur le côté, ensemble...* comme Sadie Wishnik nous avait appris à danser la rumba à Alison et à moi dans la cuisine.

Maizie se retourna et attrapa la brosse des mains de Rachel. Elle sauta du lit avec la brosse entre les dents, et la cacha dans la chambre, comme un os, derrière le bureau d'Alison.

– Tu es un chien stupide ! dit Alison, en la prenant dans ses bras et en l'embrassant.

Maizie se glissa hors des bras d'Alison et s'attaqua au papier de soie sur le sol.

Rachel roula hors du lit, s'assit par terre derrière Alison et lui demanda :

– Je peux te faire des tresses ?

– Bien sûr, dit Alison.

L'année dernière, quand j'avais les cheveux longs, Rachel aimait bien me faire des tresses à moi aussi.

Je chiffonnai le papier de soie pour en faire une balle et la lançai à travers la chambre. Maizie courut la chercher.

– Montre à Alison le bracelet que ta mère t'a rapporté de Venise, dit Rachel alors qu'elle séparait les cheveux d'Alison en trois parties.

– J'adore Venise[*] ! dit Alison. Cette plage incroyable où il y a ces garçons complètement fous qui font du patin à roulettes...

– Non, pas Venise en Californie, dit Rachel. Venise en Italie.

– Oh ! Elle est allée dans cette Venise-là, dit Alison. Maman et Pierre m'y ont emmenée quand j'étais petite et nous avons pris une gondole.

– Voilà ce qu'elle m'a apporté, dis-je en mettant mon poignet sous le nez d'Alison.

– C'est magnifique ! dit Alison.

– Merci.

Je fis une autre balle et criai :

– Attrape, Maizie...

Et puis je dis :

– C'était un voyage d'affaires. Maman devait vérifier les hôtels et les restaurants pour ses clients.

Je regardai Rachel qui accrochait les tresses d'Alison avec les barrettes que je lui avais offertes pour Noël.

Alison tendit ses tresses tout droit, comme Fifi Bras d'Acier, pour nous faire rire.

– Vous voulez jouer au Réflexe ? demanda-t-elle.

– Oh oui, dis-je.

Alison avait trouvé un moyen pour jouer à trois, avec trois jeux de cartes.

Elle les prit sur son bureau et me les tendit. Je les mélangeai et les lui rendis, pour qu'elle coupe. Et puis elle les tendit à Rachel, pour qu'elle les distribue.

– Quand est-ce que vous allez grandir toutes les

* Il y a une ville en Californie qui s'appelle également Venise, avec des plages magnifiques.

deux et arrêter de jouer à ce jeu stupide ? demanda Rachel.

Je ne savais pas si elle était sérieuse ou si elle plaisantait.

– Probablement jamais ! dit Alison, en le prenant comme une plaisanterie.

Rachel commença à nous distribuer les cartes, mais avant de jouer, Alison dit :

– Si vous deviez danser avec un seul garçon à la fête du jour des marmottes, vous choisiriez lequel ?

– Aucun garçon de sixième, dit Rachel.

– Imagine que ça peut être n'importe quel garçon de l'école, précisa demanda Alison.

– Ummm... fit Rachel, en pointant sa langue dans sa joue. Je crois que ce serait Jérémy Dragon.

– Il est amoureux de Dana, lui rappelai-je.

Rachel posa ses cartes.

– On ne parle pas de la réalité, dit-elle. On parle de quelque chose d'imaginaire.

– Même, dis-je, c'est un rêve idiot parce que tu sais que c'est impossible.

– Il n'y a pas de rêve idiot, dit Rachel. En plus, chaque fille a besoin d'avoir un amoureux imaginaire. Ce n'est pas pour ça que tu as ce poster stupide au-dessus de ton lit, hein ?

– Mais si je devais choisir un garçon avec lequel danser à la fête du jour des marmottes, je ne choisirais pas Benjamin Moore. Je sais bien que Benjamin Moore n'y sera pas !

Rachel secoua la tête. Elle avait les yeux très sombres.

– Je n'ai jamais... jamais... vu une fille aussi nerveuse que ça avant d'avoir ses règles ! Même Jessica ne s'énervait pas comme tu le fais !

– Tu sais, dit Alison, en me regardant de haut en bas, je crois que Rachel a peut-être raison. Tu as l'air gonflée et ma mère dit que c'est un signe qui ne trompe pas.

Je ne dis pas à Alison que je paraissais bouffie parce que j'avais grossi. Et je ne dis pas à Rachel que j'étais nerveuse pour des raisons qui n'avaient rien à voir avec mes règles.

– Tu ferais bien d'emmener le nécessaire avec toi, dit Rachel, on ne sait jamais.

– Imagine que tu les aies à l'école ! dit Alison. Qu'est-ce que tu ferais ? Où irais-tu ?

– J'irais à l'infirmerie, dis-je. Et on me donnerait une serviette périodique.

– Stéphanie ne s'en fait pas pour des choses comme ça, dit Rachel.

– Pourquoi le devrais-je ? demandai-je. S'inquiéter, c'est perdre son temps.

⁂

Quand je rentrai à la maison, je trouvai Maman à la table de cuisine en train de plier la lessive. Bruce et moi étions revenus de Los Angeles avec nos valises pleines de linge sale. Nous n'avions jamais fait la lessive chez Papa. Je m'assis à la table et Maman poussa le panier de linge vers moi.

– Rachel dit que je me conduis comme si j'allais avoir mes règles, dis-je à Maman en pliant un tee-shirt.

Maman siffla.

– Rachel exagère parfois !

– Tu peux me répéter ça !

– Est-ce que tu lui as dit que j'étais allée à Venise ?

– Non.

– Tu lui as parlé de Papa et moi ?

– Non... il n'y a rien à dire.

28
Max Wilson

– Vous voulez voir ce que Jérémy m'a offert pour Noël ? nous demanda Dana à l'arrêt de bus le lundi matin.

J'étais gelée. On avait annoncé de la neige et nous bougions nos pieds pour essayer de nous réchauffer.

Je n'avais jamais vu Dana aussi jolie. Elle portait un bonnet en angora blanc et ses joues étaient rosies par le froid. Elle tendit le bras et secoua son poignet.

– C'est sa gourmette. Regardez... il y a son nom.

La gourmette était trop grande pour Dana, alors elle avait mis une petite chaîne autour de quelques-uns des anneaux. Je fis courir mon doigt sur les lettres de *Jérémy Kravitz*.

– Elle est vraiment jolie, dis-je.

– Et toi, qu'est-ce que tu lui as donné ? demanda Alison.

– Je lui ai donné ma broche préférée. C'est une petite colombe en or. Il l'accroche à son... (Dana rougit, et puis elle se tut comme pour regarder autour d'elle si personne n'écoutait.) Il l'accroche à son caleçon, murmura-t-elle, mais personne ne le sait, alors pas un mot, d'accord ?

– Ne t'en fais pas, lui dis-je. On sait garder un secret toutes les trois.

Le bus arriva et quand nous fûmes assises, Rachel dit :

– Comment le sait-elle ?

– Comment elle sait quoi ? demandai-je.

– Comment sait-elle qu'il porte vraiment cette broche sur son caleçon ?

– Je vois ce que tu veux dire, dis-je.

Alison, qui était assise devant nous, se mit à glousser.

– Est-ce qu'il l'a accrochée à la ceinture ou derrière ? demandai-je.

– Ou autre part ? dit Rachel.

– Oh non... dit Alison, c'est trop dégoûtant !

– En plus, dis-je, ça doit faire mal, non ?

Au moment où Jérémy Dragon monta dans le bus, nous riions si fort que nous manquâmes de tomber de nos sièges quand il passa.

– Qu'est-ce qu'il y a de si drôle, Macbeth ? demanda-t-il.

Quelquefois, il nous appelle toutes les trois Macbeth, comme si nous n'étions qu'une seule personne. Il n'attendit pas notre réponse, mais de toute façon nous étions incapables de parler. Il s'avança au milieu du bus où Dana lui avait réservé une place.

⁂

Quand Alison et moi entrâmes en classe, il y avait une remplaçante installée au bureau de Mme Remo. Elle nettoyait ses lunettes, une occupation qu'elle répéta une vingtaine de fois avant que la cloche sonne. Et puis elle se leva et elle se présenta.

– Bonjour, les enfants, dit-elle, d'une voix haut

perchée. Je suis Mme Zeller. C'est mon premier jour comme remplaçante.

Reconnaissez que c'était vraiment une erreur! Des petits mots commencèrent à voler en l'air dans la classe.

– J'ai enseigné, continua Mme Zeller, avant la naissance de mes enfants, mais j'ai enseigné seulement au lycée, jamais au collège.

Et ça réussit! Tout le monde éclata bruyamment de rire.

Mme Zeller regarda autour d'elle, en essayant de comprendre la plaisanterie. Mais elle ne voyait pas que c'était elle.

– J'ai enseigné dans l'Ohio, dit-elle, jamais dans le Connecticut.

Maintenant, nous rugissions de rire, comme si c'était l'histoire la plus drôle du monde.

Mme Zeller joua avec les perles bleues du collier qu'elle portait autour du cou, remit une mèche de ses cheveux noirs en place et puis tira sur sa jupe et regarda par terre. Elle croyait peut-être qu'elle perdait ses collants.

– Eh bien... dit-elle, il faut que je vous annonce une mauvaise nouvelle. Le père de Mme Remo est mort pendant les vacances, donc elle sera absente toute la semaine.

Le silence tomba sur la classe. Je ne savais pas que Mme Remo avait un père. Je ne pense presque jamais que mes professeurs sont des gens normaux, qui ont une famille et une vie en dehors de l'école. Je me demande si eux ils pensent à nous comme ça. Je me demande s'ils savent que si les enfants ne réussissent pas à se concentrer en classe, c'est parfois à cause de ce qui se passe chez eux. J'ai de la chance de pouvoir me sortir mes problèmes familiaux de la tête quand je suis à l'école. Je regardai Alison. Elle serrait sa pierre préférée dans sa main. Je me souvins du jour juste après Thanksgiving où Mme Remo nous avait grondées, Alison et moi, et nous avait gardées après les cours. Rachel avait dit : *C'est peut-être parce que Mme Remo n'a pas passé un bon Thanksgiving.* Et Rachel avait probablement raison ce jour-là.

Amber Ackbourne, qui avait ri plus fort que tout le monde avant que Mme Zeller nous ait annoncé la mauvaise nouvelle, pleurait maintenant. Ses épaules étaient secouées par les sanglots et elle faisait un bruit de chat malade. Je trouvais que c'était bizarre : à un moment on s'amuse énormément, et juste après, vlan ! tout est différent, simplement comme ça.

La porte de notre salle s'ouvrit et un garçon assez grand s'avança vers Mme Zeller. Il avait une carte jaune à la main et dit :

– Je suis Max Wilson. Je suis nouveau.

Amber Ackbourne se moucha et se redressa.

– Oh ! Seigneur ! dit Mme Zeller, en jouant encore avec les perles bleues de son collier. Un nouveau ! Qu'est-ce qu'on fait avec les nouveaux, les enfants ?

Eric Macaulay cria :

– Donnez-lui un bureau.

– Oui, dit Mme Zeller, bien sûr. Un bureau ! Voilà un bon début. Trouve-toi un bureau, Max, et fais comme chez toi. Je suis remplaçante et c'est mon premier jour de classe, alors je ne connais pas encore toutes les ficelles. (Elle paraissait moins nerveuse qu'avant.)

Max traversa la classe pour chercher un bureau. Comme il n'en trouvait aucun, il dit :

– Excusez-moi, mais il n'y a pas de bureau.

– Pas de bureau, dit Mme Zeller. Alors qu'est-ce qu'on fait maintenant ?

– Donnez-lui une chaise, dit Eric Macaulay. Et puis vous demanderez au concierge d'apporter un autre bureau. Un grand bureau, parce que ce mec est grand.

– Merci, dit Mme Zeller. C'est un très bon conseil. Rappelle-moi ton nom...

– Eric Macaulay.

– Eh bien, merci de ton aide, Eric, dit Mme Zeller.

Max trouva une chaise et s'assit.

– Maintenant, Max, dit Mme Zeller, pourquoi ne nous parles-tu pas un peu de toi... Dis-nous quelque chose pour nous aider à te connaître.

– Il n'y a rien à dire, dit Max.

– Il doit bien y avoir quelque chose, dit Mme Zeller. Dis-nous d'où tu viens et parle-nous de ta famille.

Max se tassa sur sa chaise et allongea ses jambes devant lui. Il avait des baskets noires.

– Je viens de Kansas City, dit-il, les yeux fixés sur ses genoux. C'est dans le Missouri. Il y a aussi une ville qui s'appelle Kansas City dans le Kansas, mais elle est moins importante. Mon père a été transféré ici pour son travail et c'est pour ça que nous avons déménagé. J'ai deux sœurs et un frère. Mon frère est plus vieux que moi et mes sœurs plus jeunes. C'est tout.

Sa voix se fêlait sur tous les mots.

– Oh ! oui, ajouta-t-il, et cette fois il leva la tête. J'ai eu treize ans le jour de l'an et j'aime bien le basket. (Il sourit. Il avait un joli sourire. Il avait des cheveux noirs coupés court, des yeux noisette et un nez trop grand pour son visage.) Maman dit que c'est le nez qui grandit d'abord. Elle dit que quelquefois il faut attendre treize ans pour qu'il s'adapte au reste du visage. Ça prend pas mal de temps pour que le reste du visage rattrape le nez.

– C'est très intéressant, Max, dit Mme Zeller.

Eric Macaulay leva la main et dit très fort :

– Mme Zeller... et si je présentais le reste de la classe à Max ?

– Quelle bonne idée, Eric ! dit Mme Zeller.

J'adorais la façon dont Eric recommençait son numéro de la « vision remarquable » avec Mme Zeller. Il se leva et avança dans les rangs en disant nos noms et en nous donnant un sobriquet à chacun. Peter Klaff était M. Timide, Amber Ackbourne l'Enquêteuse nationale et Alison Mlle Populaire. Quand il arriva devant moi, il posa la main sur ma tête. J'essayai de me dégager.

– Et voici Stéphanie Hirsch, appelée aussi Hershey Bar et également connue sous le nom de la Grosse.

La Grosse ! Je n'attendis pas qu'il ajoutât autre chose. Je repoussai ma chaise et me levai si vite qu'elle se renversa.

– Et lui, au cas où tu te le demanderais, dis-je, en montrant Eric du doigt, voici le Trou du cul de la classe.

Tout le monde éclata de rire pendant au moins une minute et puis le silence retomba sur la classe. Mme Zeller me regarda droit dans les yeux et dit :

– Je vais oublier que tu as prononcé ce mot en classe... mais je ne veux jamais plus l'entendre. Tu comprends ?

J'avais les mains moites et les essuyai sur mon jean.

– Oui, dis-je.

Et puis la cloche sonna et tout le monde se précipita dehors pour le cours suivant.

⁂

A l'heure du déjeuner, il y a toujours l'une d'entre nous qui va faire la queue à la cafétéria pour acheter trois boîtes de lait. Aujourd'hui c'était mon tour, mais Alison vint me rejoindre à la caisse.

– Eric ne voulait rien dire de méchant, tu sais, dit-elle. Il voulait simplement faire une plaisanterie.

– Et quelle plaisanterie ! dis-je en traversant la cafétéria en colère.

Alison me suivit.

– S'il te plaît, ne sois pas fâchée contre moi.

– Je ne suis pas fâchée contre toi. Mais je ne comprends pas pourquoi tu l'aimes bien.

– Maman dit que les goûts et les couleurs, ça ne s'explique pas, dit Alison.

– Et ça prouve qu'elle a raison !

Toutes les trois, nous partageons une table avec Miri Levine, Kara Klaff et deux autres filles. Eric Macaulay, Peter Klaff et leur amis sont assis à deux tables de la nôtre. Aujourd'hui, il y avait aussi Max Wilson avec eux. Je posai les boîtes de lait et prit un siège, en tournant le dos aux garçons. Rachel était assise en face de moi.

– Qui est ce garçon ? demanda-t-elle.

– Quel garçon ? dis-je.

– Le garçon ravissant qui est assis avec Eric et Peter.

– Qu'est-ce que c'est, ravissant ? demanda Alison.
– Joli... beau... mignon...
– Tu trouves qu'il est mignon ? dis-je.
– Oui, dit Rachel. Très.
– Eh bien, pourquoi tu n'as pas commencé comme ça ? demandai-je.
– Parce que j'aime bien le mot ravissant, dit Rachel. Et parce que je trouve que ça lui va bien.
– Il s'appelle Max Wilson, lui dit Alison. Il est nouveau... Il est dans notre classe... Il vient de Kansas City.
– Dans le Missouri, ajoutai-je, en sortant mon déjeuner de son sachet : un sandwich au thon avec de la salade, des tomates et de la mayonnaise, un paquet de chips, deux beignets et une pomme.
– Il est dans mon cours d'espagnol, continua Alison, et il n'a pas pu répondre à une seule question. Il est complètement crétin.
– Je parie qu'il fait au moins un mètre soixante-treize, dit Rachel en le regardant.
– Tu as entendu ce qu'a dit Alison ? demandai-je. Elle a dit qu'il était complètement crétin.
– On ne peut pas juger l'intelligence de quelqu'un sur la façon dont il se comporte en classe le premier jour dans une nouvelle école, dit Rachel.
– Spécialement si c'est un nouveau *ravissant*, dit Alison.
– Oh oui, dis-je, spécialement s'il est *vraiment* ravissant.
Alison et moi éclatâmes de rire.
Rachel remonta ses manches.
– Vous vous conduisez quelquefois toutes les deux comme de parfaites imbéciles.

29
La Grosse

Pour Noël, tante Denise a offert à Maman une cassette vidéo d'exercices de gymnastique. Quand Maman est rentrée du travail le lundi soir, elle a enfilé un short et un tee-shirt, mis la cassette dans le magnétoscope et elle a sautillé dans toute la pièce en essayant de faire des mouvements appelés « gymnastique-jazz ».

Moi, je me suis préparé un petit casse-croûte avec du pain de seigle recouvert de fromage, et puis je suis allée me pelotonner dans mon fauteuil préféré dans le salon pour regarder Maman s'exercer comme elle pouvait sur la cassette. Maman est bâtie comme une poire, étroite au-dessus et avec un large derrière. Elle dit qu'on ne peut rien faire pour changer la façon dont on est fait. C'est génétique.

Je passai les jambes par-dessus le bras du fauteuil et dévorai le pain de seigle, tandis que Maman était allongée sur un matelas en train de faire des espèces d'abdominaux sur une vieille chanson de Michael Jackson. Maman faisait tout ce que disait le professeur de gymnastique-jazz. Quand le professeur demandait : *Vous souriez ?* Maman souriait. Quand elle demandait : *Est-ce que vous respirez bien ?* Maman criait « Oui ! »

– Tu sais comment Eric Macaulay m'a appelée aujourd'hui ? demandai-je à Maman.

– Comment ? dit-elle en faisant attention de ne manquer aucun mouvement.

– Il m'a appelée la Grosse... alors je lui ai dit que c'était un trou du cul.

Je m'attendais à ce que Maman me fasse un sermon parce que j'avais employé un langage inadmissible à l'école. Mais elle dit :

– Tu as grossi, Steph. Pourquoi ne fais-tu pas comme moi ? La gymnastique-jazz est amusante !

Maintenant, elle se tenait sur les mains et les genoux et elle levait une jambe, puis l'autre. A chaque fois qu'elle faisait ça, elle poussait un grognement.

– Ça n'a pas l'air très amusant, dis-je.

– Ça n'est pas aussi difficile que ça en a l'air.

Elle soufflait si fort qu'elle pouvait à peine parler.

Quand elle eut fini cet exercice, le professeur de gymnastique-jazz applaudit et dit : *Applaudissez vos dorsaux !*

Maman s'assit et applaudit, elle aussi.

– Où sont tes dorsaux ? demandai-je.

– Là derrière, dit Maman, en agrippant le bas de son dos.

– Oh ! dis-je.

⁂

Le jour suivant, Maman rapporta une balance numérique à la maison. Quand elle monta dessus, son poids s'inscrivit en chiffres rouges sur l'écran.

– A toi, Steph.

– Non merci.

– Allez...

– *J'ai dit* non merci !

– Ecoute, dit Maman, je sais que tu ne veux pas en parler, mais je suis inquiète pour ta santé. Il faut que je sache de combien tu as grossi exactement depuis la rentrée.

– Quelques livres, dis-je.

En fait, je n'en avais aucune idée. L'infirmière de l'école nous pèse la première semaine après la rentrée, mais je n'étais plus montée sur une balance depuis.

– Stéphanie, dit Maman, et elle paraissait très sérieuse, monte sur la balance.

– Pas avec mes habits.

– D'accord... alors déshabille-toi.

– Pas devant toi.

– Je suis ta mère.

– Je sais ! Et c'est justement le problème.

– Alors va te déshabiller à la salle de bains... mais dépêche-toi.

Je voyais que Maman commençait à perdre patience. Alors j'allai à la salle de bains, enlevai tous mes habits, m'enveloppai d'une serviette, et puis je retournai dans la chambre de Maman en courant et montai sur la balance.

– Stéphanie ! dit Maman, alors que les chiffres s'inscrivaient.

– Cette balance fait au moins dix livres de trop, lui dis-je.

– Non. Elle est exacte. Je vais appeler le Dr Klaff demain matin. Il faut faire quelque chose.

– N'appelle pas le Dr Klaff ! dis-je.

J'imaginais la famille Klaff à table en train de dîner et de parler de moi. *Stéphanie Hirsch a beaucoup grossi*, disait le Dr Klaff.

Et Kara répondait : *Ça ne m'étonne pas. Je déjeune à la même table qu'elle et elle se goinfre depuis Thanksgiving.*

Et puis Peter disait : *Je l'aimais bien, mais c'était avant qu'elle devienne la Grosse. Maintenant, je n'en suis plus si sûr. Je ne sais même pas si je vais danser avec elle à la fête du jour des marmottes.*

Et puis Kara disait : *Mais Peter... si tu ne danses pas avec elle, qui le fera ?*

– Je veux que le Dr Klaff te recommande un régime intelligent, disait Maman, et pas un de ces régimes à la mode qui détruit la santé.

– Qui a parlé d'un régime ? demandai-je.

– Comment veux-tu maigrir sans régime et sans exercice ?

– Je ne sais pas.

Cette nuit-là, après le dîner, Maman a rangé le garde-manger. Elle s'est débarrassée de tous les cookies, biscuits apéritifs et chips. Et puis elle s'est attaquée au congélateur d'où elle a sorti les gâteaux glacés et les beignets.

– A partir de maintenant, dit-elle, les casse-croûte, ça sera des carottes et des branches de céleri.

Je regardais Maman mettre toute cette nourriture dans un sac.

– Qu'est-ce que tu vas en faire ?

– Je vais les porter chez Tante Denise. Howard pourra tout manger avec ses amis.

– Tu ne t'inquiètes pas de son poids et de sa santé ?

– Howard est maigre comme un clou, dit Maman.

– Je vais mourir de faim, dis-je. Je n'aurai plus assez d'énergie pour faire de l'exercice.

– Tu auras plus d'énergie que maintenant, me dit Maman. Tu verras.

Cette nuit-là, je me mis nue devant le miroir en pied accroché à la porte de la salle de bains. Il était embué parce que j'avais pris un bain, mais je pouvais quand même me voir. Ma poitrine commençait à pousser, à moins que ce ne fût de la graisse. C'était dur à dire. Si je maigrissais, je perdrais peut-être ça. Ma cellulite était vraiment dégoûtante. Quand je sautais, elle remuait. Mes poils en bas, mes poils pubiens, poussaient eux aussi. Ils étaient beaucoup plus foncés que mes cheveux. Mes jambes n'étaient pas mal, mais mes pieds avaient un drôle d'aspect. J'avais le deuxième doigt de pied plus long que le premier.

– Stéphanie ! cria Bruce, en frappant à la porte de la salle de bains. Je dois y aller.

Je mis mon peignoir et ouvris la porte.

– La place est libre.

– On ne peut pas respirer ici, dit-il, en aérant la pièce. Pourquoi faut-il que tu prennes un bain de vapeur tous les soirs ?

– La vapeur est bonne pour la santé, dis-je. Ça élargit les pores.

– C'est où les pores ?

– Tu verras quand tu auras mon âge.

30
Les passades

Le soir suivant, le téléphone sonna juste au moment où nous finissions de dîner. C'était Papa.

– Comment ça va à l'école ? me demanda-t-il.

– Bien.

– Comment vont Rachel et Alison ?

– Bien.

– Quel temps fait-il ?

– Froid, et on annonce de la neige.

– Quoi de neuf ?

– Rien.

Après ça, il y eut une minute de silence. Papa essayait probablement de trouver quelque chose d'autre à me dire. Comme il ne trouvait rien, il dit :

– Eh bien, pourquoi n'appelles-tu pas Bruce ?

Plus tard, j'étais à mon bureau en train de faire mon devoir de maths et je fredonnais des chansons du Top 50 à la radio, quand Maman entra dans ma chambre. Elle vint derrière moi et me posa doucement les mains sur les épaules.

– Est-ce qu'il s'est passé quelque chose entre toi et Papa pendant les vacances ?

Comme je ne répondais pas, Maman continua :

– Je n'ai pas pu m'empêcher de remarquer combien tu étais distante avec lui au téléphone.

– C'est à cause d'Iris, dis-je.

C'était la première fois que je prononçais le nom d'Iris à la maison.

– C'est la femme que voit Papa ?

– Oui. Je ne savais pas si tu étais au courant.

– Je ne connais pas l'histoire en détail, dit Maman, mais je sais qu'il voit quelqu'un.

– Ça ne t'ennuie pas ? demandai-je.

– J'imagine que je n'aime pas l'idée d'être remplacée aussi facilement.

Je me retournai et regardai Maman en face.

– Tu n'es pas remplacée. Ce n'est qu'une passade.

Maman rit.

– Ce n'est pas drôle !

– Je sais... et tu as probablement raison : ce n'est qu'une passade.

J'étais contente que Maman fût d'accord avec moi. Je me sentis nettement mieux jusqu'à ce qu'elle me dise :

– Je m'imagine que moi aussi j'aurai une passade un de ces jours.

– Toi ! dis-je. Quand ?

– Je ne sais pas.

– Ce sera avant mon anniversaire ?

Maman rit à nouveau.

– Je suis sérieuse, lui dis-je. Je veux savoir.

– Oublie ça, Steph.

– Non, je ne vais pas l'oublier. Est-ce que le fait d'avoir une passade fait partie de votre séparation à l'essai ? Est-ce que tout le monde fait ça ?

– Je plaisantais, dit Maman.

Mais je savais qu'elle ne plaisantait pas.

31
Réflexions

Jérémy Dragon est à nouveau libre ! Mais ça ne nous a pas fait plaisir, à aucune de nous trois, parce que Dana a l'air tellement malheureuse. Le lundi suivant, elle est venue à l'arrêt de bus avec des yeux rouges et gonflés.

– C'est fini, dit-elle, en montrant son poignet vide.

– Qu'est-ce qui s'est passé ? demanda Rachel.

– Nous sommes allés dans une soirée et il est sorti avec Marcella, cette garce de cinquième.

Ses larmes lui roulaient sur les joues.

Alison prit Dana par la taille.

– Je suis vraiment désolée.

Je donnai un mouchoir à Dana pour qu'elle se mouche.

– Je lui faisais confiance, dit Dana. Je lui faisais confiance de tout mon cœur et il m'a trahie.

J'avais une boule dans la gorge. Si c'est ça l'amour, vous pouvez le garder !

– Je ne sais pas comment je vais faire en le voyant monter dans le bus ce matin, dit Dana. Est-ce que vous croyez que je peux rester avec vous trois... parce que ma meilleure amie ne prend pas le bus et...

– Nous en serions honorées, dit Rachel.

– Et nous ne parlerons plus à Jérémy ! lui promis-je.

Quand le bus s'arrêta, nous montâmes et trouvâmes des places les unes à côté des autres. A l'arrêt de bus suivant, Jérémy monta et nous dit bonjour comme d'habitude :

– Salut Macbeth, mais nous lui tournâmes le dos.

⁂

J'étais très contente de voir Mme Remo de retour à son bureau. Mme Zeller ne m'avait pas pardonné d'avoir dit un gros mot en classe et je m'étais sentie mal à l'aise avec elle pendant toute la semaine. Quand Mme Remo eut fait l'appel, elle se leva et dit :

– Je veux vous remercier tous pour vos gentilles attentions et votre généreuse contribution à la Société contre le cancer en mémoire de mon père. C'était un homme bien et il va énormément me manquer. (Elle réprima ses sanglots.) Mais il a eu une vie longue et productive, et c'est ce qui compte.

J'avais à nouveau une boule dans la gorge, mais encore plus fort qu'à l'arrêt de bus. Ça me faisait penser à mon père. Parfois, je me sens coupable parce qu'il ne me manque pas tant que ça, surtout depuis les vacances. Je pensais que s'il restait à Los Angeles, tout irait bien. Ça serait peut-être différent si Maman pleurait tout le temps ou paraissait déprimée, mais ce n'était pas le cas. Je pense que ça aurait été beaucoup plus dur pour nous si Papa habitait tout près et que nous étions obligés d'aller les voir, lui et Iris.

Alors que Mme Remo nous parlait de son père, j'imaginais toutes les choses terribles qui pouvaient arriver à Papa. J'imaginais qu'il pouvait avoir un accident de voiture avec un camion sur l'autoroute, se noyer dans l'Océan ou avoir une crise cardiaque au travail. Je ne pouvais pas supporter l'idée qu'il lui arrive quelque chose, surtout s'il ne savait pas que je l'aimais toujours.

Aussitôt que je fus sortie du cours de maths, j'ouvris mon cahier et je commençai à écrire une lettre.

Cher Papa,

Je pensais à toi ce matin. Et je me demandais si tu croyais que je ne t'aimais plus ? Au cas où tu ne le saurais pas, je t'aime encore. Mais quelquefois, je me mets vraiment en colère et je ne sais pas comment te le dire. Je me suis mise vraiment en colère à cause de toi et Iris parce que Bruce et moi pensions que nous allions venir à Los Angeles pour passer les vacances avec toi tout seul. Alors naturellement, nous avons été surpris et déçus de trouver Iris. Et aussi, je déteste quand tu me poses tant de questions au téléphone. Et je déteste surtout quand tu me poses des questions sur le temps. Tu ne demandes jamais à Bruce quel temps il fait. Si tu veux savoir le temps qu'il fait, pourquoi tu n'écoutes pas la météo nationale ?

Une autre chose, c'est que je me demandais ce que tu ressentais pour moi...

Alison me donna un petit coup de coude.

– Steph, il vient de t'appeler au tableau.

Je levai la tête et vis que M. Burns me regardait.

– Je ne te demanderai pas où tu as la tête ce matin, Stéphanie. Il est clair que tu es autre part, mais si ça ne te dérange pas trop de venir au tableau...

J'avançai au tableau noir et me mis entre Peter Klaff et Emily Giordano. Je ne sais pas comment, mais j'ai réussi à résoudre le problème rapidement et sans faute. Je pourrai finir ma lettre à Papa en cours d'anglais, pensai-je.

Mais une fois par semaine, au cours de M. Diamond, nous devons faire une rédaction spéciale, et c'était justement ce jour-là. M. Diamond avait écrit le sujet au tableau : *Avant, j'étais... Mais je ne le suis plus*. M. Diamond ne met jamais de note à ces rédactions, il écrit simplement ses commentaires. Et l'orthographe et la grammaire ne comptent pas non plus. Ce qui compte, ce sont vos idées et votre façon de les présenter. La semaine suivante, il choisit deux ou trois rédactions et les lit à haute voix, mais il ne dit jamais qui les a écrites. Parfois, on réussit quand même à deviner. Il choisit toujours les meilleures rédactions, des rédactions qui vous font réfléchir.

J'attendis longtemps avant de trouver une idée. Je regardai au plafond pour trouver l'inspiration, et puis par la fenêtre, mais tout ce que je voyais, c'étaient les branches des arbres dénudées. Je mordillai mon stylo. *Avant j'étais... Mais je ne le suis plus.* Je regardai autour de moi dans la classe. Presque tout le monde travaillait dur.

Je pensais à la lettre que j'avais commencé à écrire à Papa pendant le cours de maths. Je pensais que ma vie avait changé. Et puis j'eus une idée et je me mis à écrire. J'écrivis sans arrêt, remplissant les feuilles de papier les unes après les autres. Quand la cloche sonna, je levai la tête pour regarder l'horloge et je n'en revenais pas que le temps ait passé si vite. J'agrafai mes cinq pages ensemble et écrivis derrière : *S'il vous plaît, ne le lisez pas en classe.*

***

Au déjeuner, Rachel me demanda de la présenter à Max.

– S'il te plaît, Steph... il faut que je le rencontre !

– D'accord... d'accord... dis-je.

Nous nous mîmes toutes les deux derrière lui dans la file.

– Salut, Max ! dis-je, en lui tapant dans le dos. Comment ça va ?

Il me regarda.

– Stéphanie, dis-je. Je suis dans ta classe.

– Oh ! oui, dit-il, tu es la Grosse, non ?

Je grinçai des dents.

– Tu peux m'appeler Stéphanie ou Steph, mais c'est tout !

– Bien sûr, dit Max. Ça ne me fait rien, tu sais. Je t'appellerai comme tu voudras.

Rachel me donna un petit coup de pied pour me rappeler que je devais la présenter.

– Oh Max, dis-je, j'aimerais te présenter mon amie, Rachel Robinson. Elle est en classe 7-202... c'est la classe juste à côté de la nôtre.

– Tu es en sixième ? demanda Max à Rachel.

– Oui, dit Rachel.

– Tu es grande pour une sixième, dit Max.

– Toi aussi, lui dit Rachel.

Max rit. Il avait un rire de cheval.

– Alors, dit Rachel, tout est à la mode à Kansas City... hein ?

– Quoi ? dit Max.

– Rien, dit Rachel. C'est simplement une chanson.

– Tu connais une chanson sur Kansas City? demanda Max.

– Oui, c'est tiré d'une comédie musicale qui s'appelle *Oklahoma!*

– Whoa! dit Max, ça va trop vite pour moi.

Nous arrivâmes au comptoir et Max prit une tarte au thon, de la purée et des petits pois. Il n'y a rien de pire comme odeur à la cafétéria que la tarte au thon. Max mit de la moutarde sur la sienne.

– Vous prenez quelque chose? nous demanda-t-il.

– Nous apportons notre déjeuner avec nous, lui dis-je. Mais nous achetons du lait.

Max nous suivit à notre table.

– Je peux me joindre à vous?

– Euh... toutes les chaises à cette table sont prises, dit Rachel. Pourquoi tu ne vas pas t'asseoir avec Peter et Eric?

– Ils ne sont pas aussi jolis que toi, dit Max à Rachel.

Rachel devint cramoisie et elle avait le souffle coupé.

Max se pencha et parla doucement.

– Un jour j'aimerais bien entendre cette chanson sur Kansas City.

Aussitôt qu'il fut parti, Rachel dit :

– Il va falloir que je m'achète quelque chose de neuf pour mettre à la fête du jour des marmottes.

– Il a l'air de t'aimer autant que tu l'aimes, lui dis-je.

– Il a l'air de bien m'aimer, hein?

– Oui.

– Tu penses qu'il m'aime vraiment bien ou qu'il faisait semblant?

– Je ne pense pas qu'il faisait semblant.

– Imagine qu'il m'aime *vraiment* bien ?

– Eh bien... c'est ce que tu veux, non ?

– Je pense que oui, mais... (Rachel me regarda déballer mon déjeuner.) Un œuf dur et des branches de céleri ? demanda-t-elle.

– Maman et moi faisons attention à notre poids

– Est-ce que c'est parce que les garçons t'appellent la Grosse ?

– Ça n'a rien à voir avec ça !

32
La célébrité

Bruce est arrivé deuxième au concours de dessins des Enfants pour la paix. Les reporters qui sont venus à la maison pour l'interviewer m'ont posé des questions à moi aussi.

– Dis-nous, Stéphanie, quel effet ça fait d'avoir un frère qui est tellement impliqué dans le mouvement pacifiste ?

– Je suis très fière de mon petit frère, leur dis-je. J'insistais toujours sur « petit » et « plus jeune » quand je parlais de Bruce et je ne dis pas un mot de ses cauchemars.

– Ton frère semble avoir une famille qui le soutient. Est-ce vrai ?

– Oh oui... certainement.

– Est-ce que tes parents l'ont encouragé dans sa quête pour la paix ?

– On peut le formuler comme ça, leur dis-je. En tout cas, ils ne l'ont pas découragé.

– Alors ils ne sont pas militants eux mêmes ?

– Pardon ? (C'est un mot qu'utilise Rachel quand elle parle aux adultes et qu'elle ne comprend pas ce qu'ils veulent dire.)

Maman était dans la salle de séjour avec Bruce, qui attendait d'être interviewé par un autre reporter.

Elle s'avança vers moi et passa un bras autour de mes épaules.

– Mme Hirsch, dit le reporter, je venais juste de demander à Stéphanie si vous ou M. Hirsch militiez dans des mouvements pacifistes ?

– Eh bien non, dit Maman, pas exactement... bien que nous croyions à la paix. Mon travail me prend beaucoup de temps.

– Et votre mari ?

– Il est en Californie... pour son travail également.

– Alors, est-ce que vous diriez que votre fils de dix ans l'a fait de sa propre initiative ?

– Oui, c'est ça.

⁂

« La guerre est stupide ! » dit le gagnant de dix ans du concours de dessin, titra le journal du dimanche en première page. Au-dessous, il y avait une photo de Bruce et un article sur lui.

Bruce appela Papa pour lui annoncer la bonne nouvelle. Et Papa rappela Bruce deux fois pendant le week-end. La première fois, c'est moi qui décrochai. Il dit :

– C'est super pour ton frère, hein ?

Et je dis :

– Oui.

– Je parie que le téléphone n'a pas arrêté de sonner

– Maman pense qu'elle va le faire couper.

– J'aimerais bien être là pour célébrer cet événement avec vous.

Je ne répondis pas.

- Eh bien, passe-moi Bruce.

Après son autre coup de fil, je demandai à Bruce :

– Qu'est-ce qu'il voulait cette fois ?

Bruce dit :

– Tu sais... il est vraiment fier de moi. Alors il m'a rappelé que je devais porter une veste et une cravate pour aller à la Maison Blanche.

*
**

Lundi, à l'arrêt du bus, Dana me dit :

– J'ai vu la photo de Bruce dans le journal hier. Il est vraiment célèbre !

– Ouais... il l'est, dis-je.

– Est-ce qu'il est déjà parti à Washington ? demanda Rachel.

– Il part à neuf heures. Maman va avec lui. Bruce et les autres gagnants du concours vont voir le Président cet après-midi et ils dormiront à l'hôtel parce qu'ils passent demain matin à l'émission « Today »*. Moi, j'irai chez Tante Denise.

– Tu as entendu la nouvelle pour moi et Jérémy ? demanda Dana.

– Non... quoi ? demandai-je.

Elle agita son poignet. Elle portait à nouveau la gourmette de Jérémy.

– Qu'est-ce qui s'est passé ? demanda Rachel.

– Il a compris qu'il avait fait une terrible erreur et il m'a demandé de lui pardonner.

– C'est si romantique, dit Alison.

– Moi, je ne lui aurais pas pardonné aussi facilement, dit Rachel.

* « Today » : magazine d'informations qui passe tous les matins à la télé.

– Attends d'être amoureuse ! dit Dana.

Rachel ne lui dit pas qu'elle l'était déjà.

A l'école, tout le monde parlait de Bruce, y compris mes professeurs. Mme Remo dit :

– Tu dois avoir un frère vraiment spécial, Stéphanie.

A la fin de la journée, j'en avais marre d'entendre parler de Bruce, d'entendre dire qu'il était si bien. Alors, quand M. Diamond m'a appelée à son bureau après le cours, j'étais sûre que ça allait être la même chose.

– Stéphanie, cette histoire est brillante !

– Pas tant que ça, lui dis-je, en pensant à l'article dans le journal.

– Crois-moi, dit-il, c'est vraiment remarquable.

Ce n'est que quand il tapota le devoir qu'il avait à la main que je compris qu'il ne parlait pas du journal. Il parlait de la rédaction que j'avais écrite en classe la semaine dernière. Au-dessus, à l'encre verte, il avait écrit : *Intéressant, révélateur et sorti tout droit du cœur !*

– J'ai demandé à Mme Balaban de te voir cet après-midi, dit M. Diamond.

– Qui est Mme Balaban ?

– La conseillère pédagogique. Elle est peut-être capable de t'aider à résoudre tes problèmes.

– Je n'ai pas de problème.

– Je sais que ces choses-là sont difficiles à affronter, Stéphanie...

– Quelles choses ?

– Le genre de problèmes dont tu parles dans ta rédaction.

– Non, dis-je, vous vous trompez complètement !

– Stéphanie, dit M. Diamond, va voir Mme Balaban.

⁂

– Assieds-toi, Stéphanie, dit Mme Balaban.

Je m'assis sur une chaise à côté de son bureau. Elle portait un pull blanc avec un motif dessus. A une main, elle avait les ongles très longs et vernis. Mais à l'autre, elle avait trois doigts avec des ongles très courts et sans verni. Il y avait la photo d'un bébé sur son bureau.

Quand elle vit que je la regardais, elle la tourna vers moi et elle dit :

– C'est Hilary... elle a un an, mais elle n'avait que huit mois quand cette photo a été prise.

– Elle est mignonne.

Mme Balaban sourit et repoussa ses longs cheveux noirs en arrière.

– Tu as des frères et sœurs ?

– J'ai un frère. Il a dix ans. Vous avez probablement lu un article sur lui dans le journal d'hier. Il est arrivé deuxième au concours de dessin des Enfants pour la paix. Il va rencontrer le Président et va passer à l'émission « Today ».

– Vraiment ? dit Mme Balaban. Qu'est-ce que ça te fait ?

– A moi ? Eh bien... Je suis contente pour Bruce, mais je ne voudrais pas être célèbre moi-même.

Je ris, mais ça ne ressemblait pas à mon vrai rire.

Mme Balaban baissa la voix comme pour me dire un secret.

– Tout ce qui se dit dans ce bureau est strictement confidentiel, Stéphanie.

– Bien, lui dis-je.

Et puis nous nous regardâmes l'une l'autre pendant un très long moment. Ça me faisait penser au jeu Je te tiens par la barbichette auquel on jouait dans la colonie de filles, où celle qui clignait des yeux la première perdait. Mme Balaban cligna des yeux la première.

– En février, je vais commencer à animer un groupe d'enfants dont les parents sont séparés.

– Mes parents ne sont pas séparés.

– Ah ? (Mme Balaban regarda sa main avec les beaux ongles.) Eh bien, Stéphanie, on peut parler de tout ce que tu veux... de tout ce qui te tracasse.

– Il n'y a rien qui me tracasse.

– Je vois.

Elle tailla deux crayons. Et puis elle dit :

– Si un jour tu veux parler, je serai là. Je suis de ton côté. J'espère que tu t'en souviendras.

– D'accord.

– Merci d'être venue. (Elle se pencha sur son bureau pour me serrer la main.) J'espère rencontrer autant d'élèves que possible.

– Il y a un nouveau dans ma classe, dis-je. Max Wilson. Il est très grand. Vous pourriez peut-être le voir.

– Max Wilson...

Mme Balaban répéta le nom en l'écrivant.

⁂

Le mardi matin, Tante Denise et moi avons regardé « Today » ensemble. Bruce est passé juste après les informations de huit heures. Tante Denise m'a agrippé le bras et l'a tenu pendant toute l'interview, qui a duré au moins cinq minutes. Bruce avait l'air de bien s'amuser. Les deux autres garçons semblaient avoir peur. J'étais contente que l'interview se finisse parce que Tante Denise arrêta enfin de pleurer et me lâcha le bras.

J'ai décidé d'envoyer la rédaction que j'ai écrite en classe à Papa.

Avant, j'étais optimiste. Mais je ne le suis plus.

Ce n'est plus aussi facile d'être optimiste maintenant que j'ai presque treize ans parce que je sais beaucoup plus de choses qu'avant...

Papa me demande toujours comment ça va à l'école. Ça lui prouvera que ce devoir est *intéressant, révélateur et sorti tout droit du cœur.*

33
Des projets

Maman s'est acheté de nouvelles boucles d'oreilles. Elles sont en forme d'éclairs et elles brillent.

– Qu'est-ce que tu en penses ? demanda-t-elle.

Les boucles pendaient jusqu'à son menton.

– Elles sont spéciales, dis-je.

– J'espère que c'est un compliment.

Je ne voulais pas vexer Maman, alors je ne lui dis pas que ces boucles d'oreilles étaient beaucoup trop tape-à-l'œil.

– Tu vas les mettre pour aller travailler ?

– Non, dit Maman. Je vais les mettre pour la soirée de Carla samedi soir.

– Je ne savais pas que Carla donnait une soirée.

– Si, et je lui ai dit que je viendrai passer le week-end pour lui donner un coup de main.

– Et qui y aura-t-il à cette soirée ? demandai-je.

– Des amis de Carla.

– Des femmes *et* des hommes ?

– Oui, dit Maman, bien sûr.

– Mariés *et* divorcés ?

– Je ne sais vraiment pas. J'imagine qu'il y aura les deux.

– Et tu vas mettre *ces* boucles d'oreilles-là ?

– Oui, dit Maman, mais je vais mettre aussi une robe, des chaussures et...

– Ça y est, hein ? demandai-je.

– Quoi ?

– Tu vas à New York pour avoir un flirt.

Maman rejeta la tête en arrière et éclata de rire. Ses boucles d'oreilles dansaient autour de son visage.

– Ce n'est pas drôle ! dis-je.

Je déteste quand je suis sérieuse et que Maman croit que je plaisante.

Mais Maman ne pouvait pas s'arrêter de rire. Finalement, elle réussit quand même à dire :

– Désolée... c'est simplement que je trouve vraiment drôle que ça soit toi qui t'inquiètes de savoir si j'ai un flirt ou non.

Elle réprima un autre fou rire.

– Je ne m'inquiète pas ! lui dis-je. Je ne m'inquiète jamais ! Mais je n'aime pas t'imaginer avec un autre mec. Je le détesterais probablement autant que je déteste Iris.

– Je ne savais pas que tu détestais Iris, dit Maman calmement.

– Eh bien, tu le sais maintenant. Ça peut être drôle pour toi et Papa d'avoir des passades, mais Bruce et moi, on ne trouve pas ça drôle !

– Je suis désolée, Steph... j'oublie sans arrêt que c'est dur pour toi.

– Les gens qui se séparent sont supposés être malheureux, lui dis-je.

– Certains jours, je le suis, dit Maman, mais j'essaie de m'occuper et je ne me laisse pas aller.

Je pensais que je faisais la même chose.

– Ecoute... dit Maman, j'ai besoin de sortir et d'être avec des gens. C'est tout. (Elle enleva ses nouvelles boucles d'oreilles et les remit dans sa boîte à bijoux.) Alors tu préférerais passer le week-end chez Tante Denise ou chez une amie ?

– Chez une amie, dis-je.

En me couchant, je décidai que j'allais demander à Alison de passer le week-end chez elle.

– Tout est organisé, dit Maman, quand elle vint me dire bonsoir dans ma chambre. Nell Robinson serait charmée de t'avoir pour le week-end.

– Mais Maman... j'allais demander à Alison.

Maman secoua la tête.

– Quand tu as dit que tu voulais aller chez une amie, j'ai cru que tu parlais de Rachel.

– Tu aurais dû me demander, lui dis-je.

– Je le vois bien maintenant, dit Maman en ramassant Wiley Coyote par terre. Elle l'assit sur ma chaise. Ça ne t'ennuie pas d'aller chez Rachel, hein ?

– Ce n'est pas que ça m'ennuie...

– Bien... dit Maman, avant que j'eusse fini. Parce que ça aurait été bizarre d'expliquer ça à Nell maintenant. En plus, j'aime mieux te savoir chez les Robinson.

– Je n'arrête pas de te dire que Gena Farrell est comme tout le monde, dis-je. Il ne faut pas avoir peur d'elle.

– Je n'ai pas peur d'elle, dit Maman. Mais je connais Nell depuis plus longtemps, c'est tout.

Mais j'ai vu par hasard que Maman traite Gena Farrell comme une célèbre actrice de télévision et pas comme la mère d'Alison. Une fois, Gena était venue chercher Alison à la maison, et Maman a parlé beaucoup trop vite et elle lui a proposé de prendre du thé au moins une dizaine de fois, jusqu'à ce que Gena finisse par dire : « Merci... je prendrais volontiers une tasse de thé. » Alison dit que c'est parce que Gena est célèbre et très jolie que les gens ne la traitent pas comme tout le monde. Et elle aussi ça la met mal à l'aise.

Bruce a le même sentiment. Il m'a avoué qu'il en avait marre d'être célèbre. L'autre nuit, il a dit :

– C'était amusant pendant quelques jours, mais je ne veux plus jamais voir aucun reporter. Je déteste leurs questions idiotes. Et je ne participerai jamais à un autre concours. Désormais, je veux être un enfant comme les autres et aller jouer avec David après l'école.

– Mais si tu devais le refaire, tu participerais à ce concours ? lui ai-je demandé.

– Peut-être, avait dit Bruce. Parce que ce n'était pas si mal de rencontrer le Président et d'avoir une tasse de chocolat à la Maison Blanche

***

A l'arrêt de bus le matin suivant, Rachel dit :

– J'ai appris que tu venais à la maison pour le week-end.

– Oui, lui dis-je. Maman va à New York pour aider une amie à préparer une soirée.

– Alors qu'est-ce que tu veux faire ? demanda Rachel.

– Je ne sais pas... ce que tu veux.

– J'avais pensé que je pourrais répéter un nouveau morceau avec Stacey Green, mais je peux annuler, dit Rachel.

– Il ne faut pas annuler, lui dis-je. Je peux faire quelque chose d'autre pendant que tu répètes.

– Vraiment... ça ne te fait rien ? demanda Rachel.

– Non. Quand vas-tu répéter ?

– Vendredi soir.

– On pourrait aller au cinéma, me dit Alison. Et tu pourrais dormir chez moi.

– Non, dit Rachel. Ma mère veut que Stéphanie dorme chez moi.

Sa mère veut que je dorme chez eux? pensai-je. Je suppose que Mme Robinson n'a donc pas parlé avec Rachel des projets de sa fille pour le week-end, elle non plus.

– Et n'oublie pas, dit Alison, samedi, nous allons faire des courses pour la fête du jour des marmottes.

– Je ne l'oublie pas, dit Rachel, je veux trouver quelque chose de vraiment dingue!

– Qu'est-ce que tu veux dire par dingue? demandai-je.

– Tu sais, dit Rachel, dingue.

Comme les boucles d'oreilles de Maman, pensai-je.

34
A égalité

Papa a téléphoné.

– J'ai reçu ta lettre et ta rédaction, Steph.

– Oublie ça, lui dis-je.

– Mais je ne veux pas l'oublier, dit Papa. Il m'a fallu un moment pour avaler tout ce que tu as écrit, mais maintenant je crois que je comprends.

– Il n'y a rien à comprendre, j'étais de mauvaise d'humeur ce jour-là... c'est tout.

– Non... C'était ridicule de ma part de m'attendre à ce que toi et Bruce vous acceptiez la présence d'Iris après si peu d'explications, dit Papa.

– Tu veux dire *sans aucune* explication.

J'entendis Papa soupirer.

– J'aurais dû vous parler d'elle avant que vous arriviez.

– Ça ne fait rien, dis je. Maintenant, j'ai compris que toi et Maman deviez avoir chacun vos passades.

– Qu'est-ce que tu veux dire ?

– Rien... simplement qu'après ce week-end, vous allez être à égalité toi et Maman.

– De quoi parles-tu ? demanda Papa. Qu'est-ce que c'est que cette histoire de flirt de Rowena ?

J'entendis sa voix changer et je compris qu'il n'aimait pas du tout cette idée. Alors j'ajoutai :

– Tu aurais dû voir les boucles d'oreilles qu'elle a trouvées pour la soirée de Carla. Elles sont vraiment dingues !

– Dis à Maman de venir au téléphone, dit Papa.

– Elle n'est pas là.

– Où est-elle ?

– Elle a conduit Bruce chez Tante Denise. Oncle Richard l'emmène à un match de hockey avec Howard.

– Demande-lui de me rappeler dès qu'elle rentrera, dit Papa.

– Elle doit préparer ses bagages pour le week-end et elle va vraiment être débordée, lui dis-je.

– Eh bien, dis-lui que je l'appellerai.

– D'accord.

– Et Steph, dit Papa, pour ton anniversaire...

J'étais contente d'entendre qu'il s'en souvenait.

– Je pensais rentrer pour le week-end.

Non ! Je ne voulais pas qu'il rentre pour le week-end. J'avais peur en me souvenant de Thanksgiving, quand il était rentré à la maison et qu'il avait tout gâché en parlant de la séparation. Je n'avais pas envie d'apprendre une autre mauvaise nouvelle pendant le week-end de mon anniversaire ! Alors je dis :

– Je vais être très occupée. Il y a une fête à l'école vendredi soir, et samedi, Grand-Lola et Papa Jack nous emmènent, Rachel, Alison et moi, au théâtre. Et le dimanche, Maman a invité la famille pour partager le gâteau d'anniversaire. Elle l'a déjà commandé... il va y avoir des roses rouges dessus...

– Je devrais peut-être attendre les vacances de printemps, dit Papa.

– Ça serait mieux.

– Mais je vais t'envoyer une surprise pour ton anniversaire.

– Qu'est-ce que c'cst ?

– Si je te le dis, ça ne sera plus une surprise.

Un autre sweat-shirt, probablement, pensai-je.

35
Dormir chez une amie

Le vendredi matin, à l'arrêt de bus, Dana leva son poignet : elle n'avait plus sa gourmette.

– Cette fois, c'est pour de bon ! nous dit-elle.

– Qu'est-ce qui s'est passé ? demanda Alison.

– Il a dit qu'il voulait être libre de sortir avec d'autres filles... comme Marcella.

– Ne t'en fais pas, dit Rachel, c'est probablement une simple attirance sexuelle.

– S'il te plaît, ne dis pas ça !

Et Dana se mit à pleurer.

– Tout ce qu'elle voulait dire, c'est que Jérémy a beaucoup d'expérience, dis-je, en voulant réconforter Dana.

– Comment tu le sais ? dit Dana en me dévisageant.

– Parce qu'il a... J'allais dire « les jambes poilues », mais Rachel me donna un coup de pied.

– Ce que Stéphanie voulait dire, dit Rachel, c'est que certains garçons sont tellement intéressés par le sexe qu'ils en oublient tout le reste. Il va se reprendre un de ces jours.

– Je ne sais pas, dit Dana en se mouchant. J'ai les idées confuses. Mes amies me disent qu'il essaie de me rendre jalouse. Elles disent qu'il essaie de faire pression sur moi pour aller plus loin que je ne veux.

– Il ne faut jamais céder à la pression pour coucher avec quelqu'un, dit Rachel, comme si c'était une spécialiste.

– C'est vrai, ajoutai-je, comme si moi aussi je connaissais tout sur la question.

– Absolument, acquiesça Alison.

– Votre génération est tout simplement incroyable ! nous dit Dana. Quand j'avais votre âge, je ne savais rien de tout ça.

⁂

Ce soir-là, au cinéma, j'ai acheté une boîte de pop-corn. Alison également, mais les siens étaient au beurre et pas les miens. Aussitôt que nous nous assîmes, je vis que les pop-corn sans beurre, c'est très sec. Ça colle au palais. Je m'étranglai avec le premier que j'avalai. Alors je m'excusai et j'allai aux toilettes pour boire un verre d'eau. Les gens de notre rangée se levèrent pour me laisser passer. Après avoir bu un verre d'eau, je refis la queue au comptoir des rafraîchissements pour prendre des pop-corn au beurre cette fois. De toute façon, ce n'est probablement pas du vrai beurre, me dis-je, en me souvenant que j'avais promis à Maman que je ferais attention à ce que je mangerais pendant le week-end. C'est probablement quelque chose qui sert à humidifier les pop-corn pour qu'on puisse les manger sans mourir en s'étranglant.

Pendant que j'attendais, Jérémy Dragon entra dans le cinéma avec Marcella. Elle portait le jean le plus serré que j'aie jamais vu, enfoncé dans des Santiags, et elle mâchait du chewing-gum. J'aurais bien aimé qu'elle fasse une grosse bulle qui aille se coller sur son Rimmel.

Quand je revins avec mes pop-corn au beurre, les lumières de la salle étaient éteintes et j'eus du mal à retrouver Alison. Mais je n'avais aucune difficulté pour voir Jérémy et Marcella. Ils étaient assis sur la dernière rangée, au bout, et ils étaient déjà en train de s'embrasser à pleine bouche. Je me demandai ce que Marcella avait fait de son chewing-gum. Est-ce qu'elle avait gardé son chewing-gum dans la bouche en l'embrassant ? Non, c'était plutôt le genre de filles à le coller sous son siège.

Quand je retrouvai Alison, le film avait déjà commencé. Tout le monde dans l'allée dut se lever pour que je puisse passer. Aussitôt que je fus assise, je parlai de Jérémy et Marcella à Alison. Une femme derrière nous me tapa sur l'épaule et me dit : « Chut ».

Juste après la scène du début, Alison murmura :

– Je sors pour aller boire quelque chose.

Je hochai la tête. Tout le monde se leva une nouvelle fois pour laisser passer Alison.

Elle fut partie au moins dix minutes et quand elle revint, un homme de l'autre rangée dit :

– Les filles, arrêtez de bouger ou allez vous installer ailleurs !

Alors, nous nous sommes levées toutes les deux pour chercher une autre place.

Nous restâmes debout au fond de la salle pendant un moment, à regarder Jérémy et Marcella, jusqu'à ce que l'ouvreuse nous dise de trouver une place ou de quitter la salle. Les seuls sièges que nous trouvâmes étaient au premier rang. Nous étions tellement près de l'écran que nous nous tordions le cou pour bien voir. Et le film n'en valait pas la peine.

Ensuite, nous sommes allées au café où il y a des yaourts glacés, où Léon devait venir nous chercher à dix heures. Je commandai une coupe de yaourt à l'ananas. C'était presque le plus simple. Alison commanda son préféré : un Smoothie à la pêche. Nous attendions d'être servies quand nous vîmes Jérémy et Marcella entrer.

– Salut, Macbeth, cria Jérémy, vous avez aimé le spectacle ?

J'étais vraiment surprise. D'abord, je ne savais pas qu'il nous avait vues au cinéma, et puis je ne savais pas de quel spectacle il parlait : du film ou du spectacle qu'il avait donné avec Marcella. Alors je me contentai de le regarder et de dire :

– J'ai vu mieux.

Il rit.

– Ça ne m'étonne pas.

Marcella commanda un cornet gauffré avec du yaourt à la noix de pécan et à la praline. Elle ne parla à aucune de nous deux.

Quand Léon arriva vingt minutes plus tard, il demanda à Alison d'aller achcter des pistaches en vitesse.

– Gena meurt d'envie de manger des pistaches, me dit-il alors que je montais à l'arrière de la voiture.

⁂

Rachel était assise sur son lit, en train de lire, quand j'arrivai chez elle. Elle avait le visage couvert d'une espèce de crème visqueuse et blanche.

– Qu'est-ce que c'est ? demandai-je.

– C'est un masque, dit Rachel. Ça assèche la peau et ça empêche d'avoir des boutons.

– Tu dors avec ?

– Non, on l'enlève au bout de quinze minutes. Alors comment était le film ?

– J'ai déjà vu mieux, lui dis-je. Mais Jérémy et Marcella étaient là... en train de s'embrasser à pleine bouche.

– S'embrasser en public, c'est *si* dégoûtant ! dit Rachel.

– Je sais. C'était très gênant d'être obligées de les voir s'embrasser comme ça.

– Vous les avez vraiment vus s'embrasser ?

– Oui, et plus d'une fois, lui dis-je. Et comment c'était, ta répétition avec Stacey ?

– Frustrante. Nous avons joué un morceau vraiment difficile, dit Rachel. Et comment se sont-ils embrassés ?

– Comment tout le monde.

– Avec la langue ?

– Je n'étais pas assez près pour voir, dis-je.

– Je n'embrasserais jamais quelqu'un au cinéma devant toute la ville, dit Rachel.

– Moi non plus.

– Si tu as envie de lire, il y a un très bon livre sur mon bureau.

J'avançai jusqu'au bureau de Rachel.

– Lequel ? demandai-je. (Il y en avait toute une pile.)

– Ça s'appelle *Autant en emporte le vent*, dit Rachel. Tu vas aimer. C'est très romantique.

– Je n'aime pas autant les histoires d'amour que l'année dernière, lui dis-je.

– Mais ce n'est pas une histoire d'adolescent, dit-elle. C'est un vrai livre.

Je feuilletai le livre.

– C'est très long.

– Mais ça va vite une fois qu'on est dedans.

– Je pense que je vais attendre un peu avant de le lire.

– D'accord, dit Rachel en bâillant. Je vais enlever mon masque... et puis nous pourrons dormir.

Je me déshabillai pendant que Rachel était à la salle de bains. Si nous avions été aussi proches qu'avant, pensai-je, j'aurais pu lui parler de mes parents. J'aurais bien aimé... j'aurais bien aimé en parler à elle *et* à Alison.

Je déteste cacher des secrets à mes meilleures amies. Je n'avais jamais caché un secret à Rachel auparavant, et jusqu'à cette année, elle ne m'en avait jamais caché un elle non plus. Mais tout a changé entre nous maintenant. Je ne peux pas expliquer pourquoi, mais je le sens.

J'enfilai ma chemise de nuit par la tête et puis je m'installai dans mon sac de couchage, qui était étalé sur un matelas mousse sur la moquette. Ça serait facile de parler de mes parents à Alison, pensai-je. Elle comprendrait, surtout qu'elle a vécu la même chose. Mais je ne pouvais pas le lui dire sans le dire aussi à Rachel.

Rachel revint et se mit au lit.

– 'soir, dit-elle en éteignant la lumière.

– Rachel...

– Ouais ?

– Tu te rappelles quand on se déguisait avec les peignoirs de bain de tes parents... en faisant semblant que c'étaient des robes... et quand nous mettions des chaussettes en haut et que nous attachions les ceintures juste en dessous...

– Ouais.

– Et tu te rappelles quand nous avons décidé de préparer un dîner pour mes parents et que nous avons brûlé le fond des casseroles ?

– Ouais.

– Et le jour où tu as eu ton nouveau matelas, commençai-je en essayant de rire. Tu te rappelles comme nous avons sauté dessus en faisant semblant que c'était un trampoline ?

– Tout ça, c'était il y a longtemps, Steph...

– Je sais... mais tu ne penses jamais à tous les bons moments qu'on a passés ensemble ?

– Pas tellement.

Elle se retourna dans son lit.

Je me mordis la lèvre pour ne pas pleurer. Je pensais que Rachel ne voulait plus être ma meilleure amie. Elle veut probablement que ça soit Stacey Green maintenant.

Burt se blottit contre mes jambes. Ses ronronnements m'ont endormie. Au milieu de la nuit, il a dû changer de place avec Harry, parce que quand je me suis réveillée le samedi matin, Harry était blotti contre moi et Burt était parti.

Rachel était déjà habillée et assise à son bureau.

– Qu'est-ce que tu fais de si bonne heure ? demandai-je. C'est samedi.

– J'aime bien faire mes devoirs le samedi matin, dit Rachel. Comme ça, j'ai le reste du week-end pour m'amuser.

Je me retournai en pensant que je faisais exactement le contraire. Je ne fais jamais mon travail avant le dimanche soir.

Rachel et moi sommes différentes dans tant de domaines !

Quand nous sommes descendues pour le petit déjeuner, M. et Mme Robinson se préparaient à partir. Tous les samedis matin, ils vont faire une randonnée à Devil's Den. S'il neige, ils prennent leurs skis de fond. J'aurais aimé que mes parents trouvent une occupation à partager eux aussi.

Mme Robinson nouait les lacets de ses bottines.

– Ça fait plaisir de t'avoir à la maison, Steph... on ne t'a pas beaucoup vue ces derniers temps.

Qu'est-ce qu'elle voulait dire ?

– Mais on a tellement de travail au collège, dis-je.

M. Robinson me caressa la tête.

– Ne travaille pas au point d'oublier tes amis.

Je regardai Rachel, mais elle était en train de couper des rondelles de banane dans ses céréales.

– Alors, je vais vous chercher devant la banque vers cinq heures, nous dit M. Robinson en s'enroulant une écharpe écossaise autour du cou.

– Nous serons trois, dit Rachel.

Après le petit déjeuner, Rachel changea la litière de la caisse de Burt et Harry, et puis elle nettoya sa chambre. Elle épousseta tout et passa l'aspirateur partout, même sous le lit. Elle aspergea son miroir et l'intérieur de ses fenêtres avec de l'Ajax Vitres. Elle rangea tous les tiroirs de son armoire à habits et s'assura que tout était en ordre dans sa penderie.

– Ça doit être la chambre la plus propre, la plus nette de Palfrey's Pond, dis-je, et peut-être même de tout Fairfield County.

– J'aime bien que ma chambre soit en ordre, dit Rachel.

– Est-ce que Stacey Green est comme toi ?

– Qu'est-ce que tu veux dire ?

– Tu sais bien... est-ce qu'elle nettoie sa chambre et range ses tiroirs et sa penderie comme toi ?

– Stacey est une fille ordonnée et organisée, mais pas comme moi.

Rachel aligna les photos sur son étagère. L'une d'elles était dans un cadre en cuir violet C'était celle qu'Alison nous avait donnée pour Noël. Elle la regarda pendant une minute avant de la remettre à sa place. Nous avions l'air tellement heureuses sur cette photo, pensai-je. Si seulement tout pouvait redevenir comme avant.

– Rachel... commençai-je.

– Quoi ?

Je voulais lui demander si elle m'aimait encore mais je ne réussis pas. Alors je hochai simplement la tête et dis :

– Il est presque midi et demi. Il faut partir. Alison va nous attendre.

36
Quelque chose de dingue

Tous les magasins de la ville faisaient des soldes d'hiver. Je proposai d'aller à Enchantement d'abord, parce qu'il n'y a pas de miroir à trois volets. Je déteste les miroirs à trois volets. A Enchantement, il n'y a pas de miroir du tout dans les cabines d'essayage. Si on veut voir à quoi on ressemble, il faut sortir se regarder dans le magasin. Dans un certain sens, c'est tout aussi embarrassant, parce que les vendeurs tournent autour de vous en disant que ça vous va bien, même quand ça ne vous va pas du tout.

J'aimais bien la première tenue que j'essayai : une jupe noir et vert et un chemisier dans une matière qui ressemblait à celle des sweat-shirts. La jupe était à godets et tombait bien, et le chemisier avait un col en dentelle et un motif avec des petits animaux qui montaient et descendaient sur les manches.

– Voilà ! annonçai-je, en me regardant rapidement dans le miroir en pied. J'ai ce qu'il faut pour la fête.

– Mais Steph, dit Rachel, c'est la première chose que tu essaies. Qui sait ce que tu pourrais trouver autre part ?

– Mais j'aime bien ça, lui dis-je, et ce n'est pas

très cher. Comme ça, j'aurai encore assez d'argent pour m'acheter des chaussures.

– Tu essaies simplement d'éviter de prendre une décision plus tard, dit Rachel.

– Non ! dis-je.

En fait, je suis le genre de personne qui achète la première chose qui lui plaît, et Rachel le sait bien. De cette façon, je gagne beaucoup de temps et j'évite les ennuis, et en plus je ne dois plus me changer dans des cabines d'essayage étouffantes.

– Elle ne trouvera rien qui lui aille aussi bien que ça, dit la vendeuse brune à Rachel, comme si Rachel était ma mère.

– Et cette couleur est faite pour elle, ajouta la vendeuse blonde, en essayant de la convaincre.

C'était incroyable la façon dont elles parlaient de moi comme si je n'étais pas là. En retournant vers la cabine, je dis :

– C'est moi qui vais le porter et ça me plaît beaucoup !

Quand je sortis de la cabine d'essayage, Rachel essayait un pull en laine doré et les vendeuses étaient enthousiastes. Alison et moi nous échangeâmes un sourire

– Je suis contente que tu aies choisi cette tenue, me dit-elle. Ça te va très bien.

Rachel essaya tous les habits de la boutique mais elle ne trouva rien d'assez dingue, alors nous allâmes dans les autres magasins de la rue. Nous entrâmes dans trois autres boutiques et, dans chacune d'elles, Rachel demandait aux vendeuses de lui mettre une jupe et un haut de côté. Elle notait ce qu'elle avait vu dans chaque magasin, comme elle avait fait le jour des courses pour la chambre d'Alison.

Alison, elle, savait déjà ce qu'elle allait porter pour la fête du jour des marmottes. Tout ce qu'il lui fallait, c'était une brassière et des collants pour mettre en dessous de sa jupe en gaze bleue et de son chemisier. Elle les trouva à Tous les Dessous. Elle était tellement sûre de sa taille qu'elle ne les essaya même pas.

Après ça, nous eûmes envie de faire pipi. Aucun magasin en ville ne vous laisse utiliser ses toilettes. Ils disent tous qu'elles sont réservées à leurs employés. Et les restaurants font des difficultés également, sauf si vous mangez là. Heureusement pour nous, il y avait des toilettes très agréables et propres à Partir Loin, l'agence de voyages de Maman. Il y a même du savon au citron et des jolies serviettes en papier pour s'essuyer les mains. Ça me faisait un peu drôle d'y aller quand Maman n'était pas là, mais je savais que ça ne dérangerait personne au bureau.

Le carillon retentit quand j'ouvris la porte. Les affaires semblaient bien marcher. Trois clients discutaient avec des employés et il y en avait deux autres qui attendaient. Maman dit qu'en janvier et février, les gens se mettent à rêver de partir une semaine dans un endroit chaud et ensoleillé.

– Eh bien ! eh bien ! dit Craig, en s'avançant pour nous accueillir. Regardez ce que le vent nous apporte. Tu m'as manqué ce matin, Stéphanie. J'ai dû classer toutes les fiches moi-même.

– Je suis contente de voir que tu apprécies mon travail.

– Oui... oui... je suis impatient de te voir revenir samedi prochain.

– Je ne serai pas là samedi prochain non plus. Samedi prochain, c'est mon anniversaire.

– Eh bien ! dit-il. Je trouve que tu prends beaucoup de vacances. Je suppose que puisque c'est ta mère qui est propriétaire de l'agence, tu peux faire ce que tu veux.

Alison me donna un coup de coude. Elle devait vraiment aller aux toilettes Je dis :

– En fait nous sommes venues pour utiliser les...

Je ne sais pas pourquoi, mais je ne réussis pas à dire *toilettes*, alors que d'habitude ça ne me gêne pas de le dire.

Rachel finit la phrase pour moi.

– Les commodités, dit-elle à Craig.

Aussitôt que Rachel eut dit cela, Alison éclata de rire, et une fois qu'elle a commencé, on ne peut plus l'arrêter ! Une minute après, je riais moi aussi. Et Craig lui-même ne pouvait pas garder son sérieux. Mais Rachel était en colère et, une fois dans les toilettes, elle dit :

– Est-ce que vous allez agir un jour comme des filles de votre âge, toutes les deux ?

En partant du bureau de Maman, nous fîmes quatre autres magasins dans la rue. Dans le dernier, Class Act, nous tombâmes sur Amber Ackbourne avec deux amies.

– Nous cherchons des habits pour la fête, nous dit Amber.

– Nous aussi, dit Alison.

Amber essayait le même pull doré que Rachel avait essayé à Enchantement, et ses amies s'exclamaient en disant qu'elle était magnifique. Personnellement, je trouvais qu'elle avait l'air aussi ridicule que Rachel.

– Je me demande si Max me trouvera bien habillée comme ça ? dit-elle en prenant des poses devant le miroir.

– Max ? dit Rachel.

– Oui... c'est le nouveau garçon de notre classe et il est *siii* mignon. Je pourrais danser avec lui pendant toute la nuit.

Rachel restait simplement là, bouche bée.

– Tu ne sais pas ? dis-je, pour mettre les choses au clair. Max aime beaucoup Rachel.

Amber se retourna et fit face à Rachel.

– C'est vrai ?

– Bien sûr que c'est vrai ! dis-je.

– C'est à Rachel que je le demande, pas à toi, dit Amber.

Rachel marmonna quelque chose.

– Quoi ? demanda Amber.

– J'ai dit que ça pourrait être vrai, lui dit Rachel.

– Ça *pourrait* ne veut pas dire que ça l'*est*, dit une des amies d'Amber.

Et l'autre dit :

– Attends qu'il te voie dans ce pull doré, Amber.

– Je ne vole pas les petits amis des autres moi, dit Amber.

– Ce n'est pas vraiment mon petit ami, dit Rachel.

C'était complètement stupide de la part de Rachel d'admettre une chose pareille et je fus à nouveau obligée de rétablir la situation.

– Ce n'est peut-être pas son petit ami, mais tu aurais dû les voir ensemble à la cafétéria !

Alison hocha la tête mais elle ne parla pas.

– Tu manges au même service que Max ? demanda Amber à Rachel.

– Oui, dit Rachel, mais Max est libre. Il peut

danser avec qui il veut. (Elle m'attrapa par la manche.) On doit y aller maintenant.

– Mais nous n'avons rien vu, dis-je.

– On en a vu assez ! dit Rachel entre ses dents.

– Au revoir... cria Amber. A lundi, à l'école.

Une fois dehors, Rachel se mit à marcher très vite. Alison et moi devions courir pour la rattraper.

– Comment as-tu pu lui dire ça ? me demanda Rachel à la fin.

– Dire quoi ?

– Que Max m'aime bien.

– C'est vrai, non ?

– Même si ça l'est, ce n'est pas à toi de le dire !

– Mais je n'allais pas la laisser croire qu'elle peut avoir tous les garçons qu'elle veut, dis-je.

– Max, c'est *mon* affaire, et pas la tienne !

– Allons, Rachel, dit Alison. Steph ne pensait pas à mal... elle essayait simplement d'aider.

Rachel descendit la rue jusque chez Olly, un magasin beaucoup trop cher pour nous. Nous ne sommes jamais entrées dedans, même pour regarder. Mais Rachel entra et annonça à la vendeuse :

– Je voudrais quelque chose de vraiment dingue !

La vendeuse était grande et mince. Elle portait une jupe en daim, une chemise en coton et des bottes. Elle avait environ vingt rangs de perles autour du cou. Ses cheveux étaient roux vif et frisottaient autour de son visage. Elle avait exactement le look que voulait avoir Rachel à la fête du jour des marmottes. Sur le badge accroché à sa poche était écrit *Glory*.

– Je ne sais pas ce que vous voulez dire exactement par « dingue », dit Glory à Rachel. Parce que ce qui est « dingue » pour vous ne l'est peut-être pas pour moi et vice versa... si vous voyez ce que je veux dire.

Je pensai aux boucles d'oreilles de Maman et je me demandai si elle passait un moment «dingue» à New York.

– Vous voulez quelque chose de dingue habillé ou décontracté? demanda Glory.

– Du dingue décontracté, dit Rachel C'est pour la fête de l'école.

– Hmmmm... (Glory étudia Rachel.) Quelle taille pour les jambes de pantalon... 28?

– Comment vous le savez? demanda Rachel.

– C'est mon métier, dit Glory, en traversant le magasin jusqu'à une rangée de pantalons.

Elle regarda rapidement, sortit un pantalon blanc et le tendit à Rachel.

– Pendant que vous passez ça, je vais voir ce que nous avons comme hauts dingues. Vous voulez quelque chose de décolleté ou pas?

– Pas trop décolleté, dit Rachel, mais un peu décolleté, ça serait bien.

Nous suivîmes Rachel dans la cabine d'essayage. Alison s'assit par terre, les jambes croisées, et moi je restai debout dans le coin, en essayant de ne pas cacher le miroir à trois volets à Rachel. Elle enfila le pantalon blanc, et puis tourna sur elle-même, en s'examinant sous toutes les coutures.

C'est comme ça que je vis l'étiquette.

– Oh! oh! dis-je, c'est un pantalon de marque.

– Et alors? demanda Rachel.

– Et alors... ta mère ne veut pas que tu achètes des pantalons de marque.

– Qu'est-ce que tu es? ma conscience?

– Je te le rappelle, c'est tout.

– Je n'ai pas besoin que tu me le rappelles.
– Mais ta mère va voir l'étiquette.
– Si je décide de l'acheter, dit Rachel, ce que je n'ai pas encore décidé, j'enlèverai l'étiquette.
– Tu mentirais à ta propre mère ?
– Ça te va bien de parler de mentir !
– Qu'est-ce que ça veut dire ?
– Oublie-le.
– Non, je ne veux pas l'oublier.
Rachel se retourna très vite.
– D'accord, bon... (Elle pointa son doigt vers moi.) Tu nous as dit que ta mère était partie à Venise en voyage d'affaires !
– C'est vrai.
– Non, ce n'est pas vrai.
– Qu'est-ce qu'elle veut dire ? me demanda Alison.
Mais Rachel ne me laissa pas l'occasion de répondre.
– Je veux dire que Stéphanie nous ment depuis le début de l'année scolaire et que je commence à en avoir marre !
– Nous ment ? dit Alison.
Je n'ai pas menti ! Pourquoi Rachel me disait-elle ça ? pensai-je.
– Ses parents sont séparés, dit-elle à Alison. Ils vivent séparés depuis cet été. Et ils vont probablement divorcer.
– Non ! dis-je. Ils ne vont pas divorcer. C'est une séparation à l'essai... c'est pour ça que je ne vous l'ai pas dit !
– Oh, s'il te plaît ! (Le sweat-shirt jaune de Rachel lui était remonté jusqu'au milieu du ventre.) Tu prétends que tu veux tout savoir de la vie de tes

amies, mais quand quelque chose t'arrive à toi, tu ne vois que ce que tu veux voir. Tu n'affrontes pas la réalité. Tu vis dans une espèce de monde fantastique et ridicule !

– Si quelqu'un est ridicule ici, c'est bien toi ! criai-je. Toi et ta chambre parfaite, tes notes parfaites, ta flûte parfaite et...

Rachel retint son souffle.

– Quand vas-tu te décider à grandir, siffla-t-elle.

– Quand j'en aurai envie !

– Arrêtez ! dit Alison en se bouchant les oreilles avec les mains.

– Ça n'a rien à voir avec toi, lui hurla Rachel. Reste en dehors de ça.

– Ne lui dis pas ce qu'elle a à faire ! criai-je. Tu n'es pas le maître du monde !

Alison se mit à pleurer.

– Oh... vous êtes tellement bébés toutes les deux ! hurla Rachel. C'est impossible d'être amie avec des bébés si stupides et immatures.

– Et c'est tout aussi impossible d'être amie avec quelqu'un qui croit qu'elle connaît tout... même quand ce n'est pas vrai.

Rachel inspira profondément pendant une seconde et je crus qu'elle allait me frapper. Alors je l'attrapai la première par le bras et je criai :

– Pourquoi tu ne vas pas te faire voir, toi et ton grand esprit !

Elle se libéra de mon étreinte et cria :

– Et pourquoi tu ne restes pas chez toi à jouer au Réflexe pendant le reste de ta vie comme le grand bébé que tu es !

– Les filles ! (Glory ouvrit le rideau de la cabine.)

C'est une conduite très malséante. Je vais devoir vous demander de partir si...

– Vous n'avez pas à me le demander, lui dis-je, parce que je m'en vais !

Je sortis en trombe de la cabine d'essayage.

– Je ne te parlerai plus jamais ! me cria Rachel.

– C'est la meilleure nouvelle de la journée, criai-je en retour.

Plusieurs clientes me regardèrent comme si j'avais traversé le magasin en passant par la fenêtre. Qu'elles me regardent si elles veulent, pensai-je. Qui s'en soucie de toute façon ? J'en avais assez de Rachel Robinson. Ça prouvait non seulement que ce n'était pas ma meilleure amie, mais que ce n'était plus mon amie du tout.

Je ne m'étais pas rendu compte que j'avais laissé ma veste par terre dans la cabine d'essayage jusqu'à ce qu'Alison passe la porte avec ma veste sur le bras. Je n'avais même pas remarqué que je pleurais, mais Alison me tendit un mouchoir pour m'essuyer le nez. Et puis je sentis les larmes chaudes sur mon visage et les gouttes qui coulaient de mon nez et qui gelaient sur ma lèvre supérieure et sur mon menton.

– Je suis désolée pour tes parents, dit Alison, doucement. Je ne savais pas du tout.

– Ce ne sont pas tes affaires, lui dis-je.

– Si, dit-elle en mettant ma veste autour de mes épaules.

⁂

A cinq heures, Alison et moi allâmes devant la banque où nous devions attendre M. Robinson. Si j'avais eu assez d'argent, j'aurais pris un taxi, mais j'avais dépensé mes derniers dollars à acheter des chaussures pour la fête.

Rachel était déjà là à attendre son père. Elle portait deux paquets. Je me demandai ce qu'elle avait acheté. Aussitôt qu'elle nous vit, elle nous tourna le dos. Quand son père arriva, elle monta sur le siège avant et Alison et moi montâmes derrière.

– Eh bien, dit M. Robinson, en regardant nos paquets. Je vois que vous avez eu un après-midi bien rempli.

Comme nous ne répondions pas, il dit :

– J'imagine que vous êtes épuisées. A chaque fois que vous faites des courses, c'est la même chose.

Comme nous ne répondions toujours pas, il éclata de rire et dit :

– J'aime mieux que ça soit vous que moi. Je ferais n'importe quoi plutôt que de faire des courses. (Après, je pense qu'il comprit la situation car il ne parla plus.)

Quand nous arrivâmes chez Rachel, je murmurai à Alison :

– Je peux dormir chez toi ce soir ?

– Bien sûr, dit Alison.

– Je vais chercher mes affaires et je reviens tout de suite.

Rachel courut dans la maison, monta à toute vitesse et s'enferma dans la salle de bains.

Je fourrai mes affaires dans mon sac en toile, pris une feuille de papier dans le tiroir du bureau du Rachel et écrivis un mot :

Chère Mme Robinson,

Merci de m'avoir invitée à passer le week-end. Je ne peux pas rester cette nuit pour des raisons très per-

sonnelles. J'espère que vous comprendrez. Si vous ne comprenez pas, vous pouvez demander à Rachel. Au cas où ma mère appellerait, je vais chez Alison.

Sincèrement,
Stéphanie.

37
Des affaires personnelles

Je ne pardonnerai jamais à Rachel les choses horribles qu'elle m'a dites. La séparation de mes parents ne la regarde pas. En plus, comment peut-elle savoir ce que je ressens à l'intérieur de moi ? Et ça prouve que c'est Rachel Robinson qui est immature et ridicule, et pas moi !

Maman rentra de New York le dimanche après-midi, mais je ne lui parlai pas de Rachel avant d'être assise à la table du souper. Et, alors qu'elle posait le plat de soupe à la tomate et au riz sur la table, je dis :

– Rachel et moi, nous nous sommes disputées. On ne se parlera plus jamais !

Maman dit :

– Je suis sûre que vous pouvez vous réconcilier, si vous essayez.

– Je ne veux pas essayer.

Maman couvrit la soupière et mordit dans une biscotte.

– Ça ne te ressemble pas, Steph. Après tout, Rachel est ta meilleure amie depuis le CE1.

– Eh bien elle ne l'est plus !

– Mais vous avez tellement de choses en commun.

– Non, dis-je, nous n'avons plus rien en commun, c'est ça le problème.

– Vous partagez vos souvenirs d'enfance, dit Maman Et ça, vous l'aurez toujours en commun.

– Ce n'est pas assez !

– C'est stupide de se disputer avec ses amis, dit Bruce, en avalant sa soupe.

– Rachel n'est *pas* mon amie.

– Mais elle l'était... avant que vous vous disputiez... non ?

– Avant que nous nous disputions, ça ne compte pas, dis-je à Bruce.

– C'est comme ça que commencent les guerres, dit-il.

- Personne ne parle de guerre ! criai-je.

– Calme-toi, Steph, dit Maman, et mange ta soupe avant qu'elle ne refroidisse.

Quand je me couchai cette nuit-là, je repensai à la dispute et j'essayai de me rappeler comment elle avait commencé. Mais tout ce dont je me souvenais c'était ce que j'avais dit sur les pantalons de marque, et puis les cris et les larmes. Je ne réussissais pas à m'endormir. Quand je m'endormis enfin, je rêvai que j'étais à la fête du jour des marmottes, complètement nue. *Bébé... bébé... bébé,* chantait Rachel en se moquant de moi. Tout le monde riait et me montrait du doigt. Pour finir, Mme Remo mit son manteau autour de mes épaules.

Quand Papa appela le soir suivant, je lui dis que Rachel et moi nous ne nous parlerions plus jamais.

Il dit

- Vous allez vous réconcilier très vite.

– Non.

- Tu veux parler ? demanda Papa

– Non.

– Eh bien moi, je parie. Cinq dollars qu'avant ton anniversaire, Rachel redeviendra ta meilleure amie.

– Mon anniversaire tombe vendredi prochain, alors tu vas perdre, c'est sûr.

– Je risque le coup.

Les parents croient toujours qu'ils savent tout de leurs enfants, alors qu'en réalité ils ne savent presque rien.

– Alors, dit Papa, comment s'est passé le week-end de Maman à New York ?

– Pourquoi tu ne le lui demandes pas à elle ?

Je passai le téléphone à Maman qui était encore à la table de la cuisine, à boire son thé à petites gorgées et à lire le journal.

– Oui, Steve... dit Maman en prenant le téléphone, tout le monde va bien.

Je commençai à enlever l'étiquette du pot de mayonnaise qui était à côté de l'évier. Quand je fais vraiment attention, je réussis parfois à enlever l'étiquette tout entière, ce qui est presque aussi satisfaisant que d'enlever la peau pelée après les coups de soleil.

– Un flirt ? dit Maman au téléphone. Non, je n'ai eu aucun flirt à New York... et de toute façon, ça ne te regarde pas.

Je remis le pot de mayonnaise dans le réfrigérateur et j'essayai de sortir sans bruit de la cuisine, mais je ne réussis pas.

– Stéphanie ! cria Maman en raccrochant. Est-ce que tu as dit à Papa que j'allais avoir une aventure à New York ?

– J'ai peut-être parlé de quelque chose de ce

genre, dis-je. Mais au fait... comment s'est passée la soirée de Carla ?

– N'essaie pas de changer de sujet, dit Maman, et j'entendis au ton de sa voix qu'elle était sérieuse. Tu n'as pas à discuter de ma vie sociale derrière mon dos.

– Papa était jaloux, non ?

– C'est un mariage et pas une histoire de collégienne, dit Maman. Nous devons nous débrouiller tout seuls.

– Je ne vois pas pourquoi je ne pourrais pas vous aider.

– Parce que tu n'as pas le pouvoir de rendre les choses comme tu le voudrais... tu ne peux qu'être déçue. Tu comprends ?

– Non ! criai-je en sortant de la cuisine et en montant les escaliers en courant.

Si vous voulez mon avis, Maman et Papa se conduisent exactement comme Jérémy et Dana. Je claquai la porte de ma chambre et me jetai sur mes animaux en peluche en travers de mon lit. Je détestais la façon dont Rachel et maintenant Maman m'accusaient de me mêler de leur vie sociale alors que tout ce que j'essayais de faire, c'était de les aider. Je restai comme ça un moment, à pleurer. J'étais sûre que Maman viendrait dans ma chambre pour s'excuser, mais elle ne vint pas.

***

Les nouvelles vont vite à l'école. A l'heure du déjeuner le mardi, tout le monde savait que Rachel et moi nous ne nous parlions plus. Dans le bus, Rachel alla s'asseoir avec Dana, aussi loin d'Alison et moi que possible. Et à la cafétéria, elle alla s'asseoir à la table de Stacey Green. Je la vis aussi plaisanter avec Max.

Kara Klaff demanda :

– Mais à propos de quoi vous vous êtes disputées ?

– Des affaires personnelles, répondis-je.

Miri Levine dit :

– Tu crois que vous allez vous réconcilier bientôt ou quoi ?

– Jamais, lui dis-je.

Amber Ackbourne vint me voir en classe.

– Je n'arrive pas à croire que toi et Rachel vous ne vous parlez plus ? Je veux dire... toi et Rachel, vous êtes amies depuis toujours. J'espère que ça n'a rien à voir avec Max ou avec le pull doré que j'ai acheté pour la fête.

– Ne te flatte pas, dis-je. Ça n'a rien à voir.

Après l'école, Alison dit :

– Tout le monde me demande si je suis de ton côté ou de celui de Rachel. Ils ne savent pas qu'elle m'a traitée de bébé ridicule et immature, moi aussi. Je déteste les disputes !

– Ce n'est pas moi qui ai commencé, lui dis-je.

– Je sais, dit Alison. J'étais là... tu te rappelles ?

Nous nous serrâmes la main et je pensais que j'avais de la chance d'avoir Alison comme meilleure amie. Parce que si Rachel avait été mon unique meilleure amie, imaginez combien je me sentirais seule maintenant. Aussi seule que Rachel se sentirait si elle n'avait pas Stacey Green.

⁂

Cette nuit-là, il se mit à neiger et, au moment où j'allai au lit, il neigeait encore plus. Je fis un autre cauchemar. Cette fois-là, Rachel et moi marchions le long d'une autoroute, mais il n'y avait pas de voitures. Et puis, soudain, une voiture surgit de nulle part à toute vitesse et fonça vers nous. Nous essayions de courir, mais nos pieds ne bougeaient pas. La voiture heurta Rachel. Son corps vola dans les airs, traversa l'autoroute et atterrit avec un bruit sourd. Je courus vers elle, mais il était trop tard. Quand la police arriva, elle m'arrêta alors que je n'avais rien fait. Le policier qui me passa les menottes ressemblait trait pour trait à Benjamin Moore. Il dit : *Vous avez prémédité toute l'histoire, hein ?* Je criai : *Non, non !* et je me réveillai en tremblant et couverte de sueur.

Bruce arriva dans ma chambre en courant.

– Qu'est-ce que c'était ?

– J'ai fait un mauvais rêve, dis-je.

– Ça faisait peur ?

– Un peu...

– Avec la bombe ?

– Non.

– Tu veux que je reste avec toi ?

– Ça va maintenant.

Il alla regarder à ma fenêtre.

– Il neige encore. J'espère que l'école sera fermée demain.

– Oui... on pourrait avoir un jour de congé pour cause de neige.

Quand il arriva à ma porte, je dis :

– Bruce...

– Ouais ?

– Merci d'être venu dans ma chambre.

– C'est rien, dit-il. Je sais ce que c'est que de faire de mauvais rêves.

Ce qu'il y a de bizarre, c'est que Bruce ne fait plus de cauchemars depuis qu'il est arrivé deuxième au concours de dessins. Maman dit qu'il se sent mieux parce qu'il sait qu'il n'est pas le seul à s'inquiéter. Il a même été invité à devenir membre honoraire de deux organisations pacifistes.

Il neigeait encore quand je me réveillai le mercredi matin. L'école était fermée. Bruce et moi nous criâmes de joie et puis nous retournâmes nous coucher.

Il cessa de neiger et le soleil pointa vers onze heures. Bruce et son ami, David, firent un bonhomme de neige dans notre jardin. J'enroulai une écharpe autour de son cou et lui mis le chapeau de feutre brun de Papa sur la tête. Voir le chapeau sur le bonhomme de neige me rappela le bon vieux temps, quand Papa jouait dans la neige avec nous. Je me demande s'il le refera un jour.

Après le déjeuner, Alison et moi descendîmes à l'étang pour faire du patin à glace. Rachel était là elle aussi, avec Dana, mais elle se contenta de me lancer un regard hautain. Alors je lui rendis son regard. J'avais appris ce mot de Rachel. Ça veut dire « arrogant », ce qui veut dire « prétentieux », ce qui veut dire penser qu'on est super, et ça va vraiment bien à Rachel. Je patinai en arrière pour snober un peu, mais je trébuchai et tombai. Alison dut m'aider à me remettre sur pied. Elle s'assit sur une bûche avec moi un moment, jusqu'à ce que je n'aie plus mal au dos Ensuite, je me contentai de faire du patin comme tout le monde et quand Rachel exécuta une série de figures de huit, je fis semblant de ne pas être impressionnée comme tout le monde sur l'étang.

Maman passa quelques heures au bureau cet

après-midi-là et quand elle rentra à la maison, vers cinq heures, j'étais assise dans le salon en train de grignoter des bouts de carottes et de lire. Pour finir, j'avais décidé de commencer *Autant en emporte le vent* pour prouver à Rachel qu'elle n'était pas la seule élève de sixième capable de lire des livres d'adultes. Maman enfila ses habits de gym et mit la cassette de gymnastique-jazz dans le magnétoscope. Quand le professeur apparut sur l'écran, Maman commença par s'échauffer.

Je posai mon livre.

– Je crois que je vais essayer aujourd'hui, dis-je, debout derrière Maman en imitant ses mouvements.

Quand nous arrivâmes au moment où le professeur dit : *Bon... maintenant je veux que vous vous imaginiez en train de frapper quelqu'un que vous ne pouvez pas supporter ! Souvenez-vous... il vaut beaucoup mieux frapper en l'air que sur quelqu'un que vous connaissez,* je frappai aussi fort que possible. D'abord à droite, puis à gauche. *Prends ça...* pensais-je, *et ça !* Punch... punch... punch... jusqu'à ce que Maman me touche le bras et me dise :

– C'est fini, Steph. Tu peux arrêter de frapper maintenant.

38
Le slow

Le vendredi arriva un paquet de Papa. Je le montai dans ma chambre. Sur la carte, il y avait un vieil éléphant qui parlait avec un plus jeune. Il y avait écrit : *Bon anniversaire pour quelqu'un d'assez jeune pour s'en réjouir mais d'assez vieux pour comprendre.* Au-dessous, Papa avait écrit : *J'aurais aimé être avec toi pour célébrer tes treize ans ! Je t'aime, Papa.* Je le tournai dans tous les sens pour voir si c'était du papier recyclé, et c'en était. J'enlevai le papier et ouvris lentement la boîte. A l'intérieur, il y avait un cœur en améthyste suspendu à une chaîne en or. L'améthyste est la pierre de mon signe du zodiaque.

Je descendis en courant. Maman préparait déjà le dîner, parce que la fête du jour des marmottes commençait à sept heures et demie.

– Regarde ce que Papa m'a envoyé pour mon anniversaire, dis-je en faisant danser le collier sous son nez.

Maman leva les yeux du poulet et des légumes qu'elle était en train de faire cuire.

– Très joli.

– Tu penses qu'il l'a choisi lui-même ? demandai-je.

– J'espère, dit Maman.

– Moi aussi... parce que si c'est Iris qui l'a choisi, je ne le porterai jamais. Je préférerais le jeter dans les toilettes.

– Vraiment, Steph ! dit Maman en riant. (Mais je pense que ça lui faisait plaisir que je dise ça.)

– Comment ça ira avec ma tenue verte ?

– Quand tu seras habillée pour la fête, essaie-le pour voir, dit Maman.

– Mais comment puis-je mettre ça en plus du collier contre les piqûres d'abeilles ?

– Il n'y a pas d'abeilles la nuit, dit Maman, et surtout en plein hiver.

– Alors, je crois que je vais mettre le collier de Papa ce soir, et demain, pour aller à New York, je mettrai celui de Grand-Lola. (Je me tus pendant un instant.) Et demain je mettrai aussi mes nouvelles bottes.

J'ajoutai ça parce que Maman m'avait offert une paire de Santiags pour mon anniversaire. Elles ressemblent un peu à celles que portait Marcella le soir où je l'ai vue avec Jérémy Dragon, sauf que les miennes sont d'un joli gris et que celles de Marcella étaient blanches. Je n'avais pas eu de téléphone. Mais... peut-être l'année prochaine.

– Steph... commença Maman.

– J'adore les bottes que tu m'as offertes ! dis-je.

Je ne voulais pas vexer Maman et qu'elle croie que je préférais le cadeau de Papa.

Mais Maman avait quelque chose d'autre en tête.

– Tu ne crois pas qu'on devrait demander à Rachel si elle veut qu'on la conduise à la fête ce soir ?

– Non !

Rachel avait écrit un petit mot à ma mère.

Chère Mme Hirsch,

A cause d'un changement de programme, je ne pourrai pas venir à New York samedi pour célébrer l'anniversaire de Stéphanie avec vous.

Sincèrement,
Rachel Robinson.

– J'ai parlé avec Nell aujourd'hui, dit Maman.

– Tu as téléphoné à Mme Robinson ?

– C'est elle qui m'a appelée. Rachel est malheureuse.

– Bien, dis-je, Rachel mérite d'être malheureuse !

– Stéphanie... tu me surprends. Qu'as-tu fait de ta gentillesse ?

– C'est mon anniversaire, dis-je. Et elle, qu'est-ce qu'elle a fait de sa gentillesse ? En plus, tu ne sais pas les choses terribles qu'elle m'a dites.

– Elle le regrette peut-être, dit Maman.

– Alors, elle n'a qu'à me le dire elle-même.

⁂

La salle de gym était bien décorée. En plus des bandes de papier crépon et des ballons de toutes les couleurs, *Jour des marmottes* était écrit en lettres énormes accrochées sur un mur. Sur les autres murs, il y avait des fresques représentant des marmottes qui cherchaient leurs ombres. Mes deux professeurs préférés, Mme Remo et M. Diamond, étaient chaperons, avec d'autres professeurs de sixième. Eric Macaulay, Peter Klaff et Max Wilson s'étaient rassemblés autour du buffet et ils se bourraient de cookies et de jus de fruits. Personne n'avait encore commencé à danser.

Alison et moi étions là depuis au moins dix minutes quand Rachel arriva avec Stacey Green. Elle était habillée tout en blanc. Je ne voyais pas si son pantalon était celui qu'elle avait essayé chez Olly le jour de notre dispute. Mais je savais que nous n'avions pas vu son chemisier : il était plissé, comme un abat-jour. Elle avait une fleur blanche dans les cheveux aussi. Un gardénia, je crois. J'étais trop loin pour le sentir. Elle n'avait pas l'air malheureuse du tout.

Nous restâmes là un moment, les filles parlant avec les filles et les garçons avec les garçons, jusqu'à ce qu'Amber Ackbourne entraîne Max Wilson au milieu de la salle pour danser. Et puis Toad invita Alison et bientôt tous les garçons faisaient la queue pour danser avec Alison chacun son tour. Tous, sauf Eric Macaulay. Il se contentait de regarder. Alors je fus vraiment choquée quand il m'attrapa soudain par le bras et dit :

– Allez, la Grosse... viens danser !

– Je m'appelle Stéphanie ! lui rappelai-je.

– Ouais... ouais.

Eric m'étonnait. En fait, il savait bien danser. Et même si nous ne nous touchions pas, parce que ça n'était pas un slow, il s'arrangea pour avancer en dansant à l'endroit où Peter Klaff était toujours debout. Quand nous fûmes juste en face de Peter, Eric me lança vers lui.

– Attrape ! cria Eric à Peter, en riant.

Je manquai de tomber, mais Peter me rattrapa. Il ne me laissa pas partir tout de suite lui non plus.

Ensuite, Eric attrapa Rachel par la taille. Il lui arrivait à la poitrine mais il dansa en s'avançant vers Max et Amber. Quand il fut tout près d'eux, il lança Rachel vers Max, comme il m'avait lancée vers Peter. Rachel arriva en volant presque, et elle faillit rentrer dans Amber. Eric rattrapa Amber et avant qu'elle ait compris ce qui se passait, il l'emmenait, toujours en dansant, laissant Max et Rachel ensemble. Et puis Eric emmena Amber vers Alison et la lança vers le cavalier d'Alison. Pour finir, Eric se retrouva à danser avec Alison.

– Je n'en crois pas mes yeux ! dis-je à Peter, qui était debout, les mains dans les poches.

– Il a tout préparé, dit Peter, et ça a marché.

Il me regarda.

– Alors... tu veux danser ?

– Bien sûr.

– D'accord... mais il n'y a qu'un problème.

– Lequel ? demandai-je.

– Je ne sais pas danser, dit-il.

– Je vais t'apprendre. (Il y avait un slow.) Mets la main autour de ma taille, lui dis-je.

– Ça je sais, dit Peter. Ce que je ne sais pas, c'est ce que je dois faire avec les pieds.

– Essaie ça, dis-je. *En avant, sur le côté, ensemble... en arrière, sur le côté, ensemble.*

Et j'entraînai Peter avec moi.

Peter continuait à répéter :

– *En avant, sur le côté, ensemble... en arrière, sur le côté, ensemble.*

Et bientôt, il ajouta :

– Hé, nous dansons !

Parfois, il me marchait sur les pieds, mais ça n'avait pas d'importance. Nous dansâmes six danses à la suite, des rocks et des slows, avant que Peter dise :

– J'ai bu beaucoup de jus de fruit, je dois aller...

– Moi aussi.

– On se retrouve derrière dans cinq minutes ou moins, dit-il en mettant son chronomètre en marche.

Je me dirigeai vers les toilettes des filles, parce que j'avais l'impression que mes collants descendaient. J'avais dû prendre la mauvaise taille. J'avais eu du mal à distinguer la taille imprimée au dos du paquet. Il y avait deux autres filles. L'une d'elles, Emily Giordano, était dans le même cours de maths que moi. Elle se remettait du brillant à lèvres. Nous nous dîmes bonjour et puis je rentrai dans les toilettes.

Quand je baissai ma culotte, je vis une traînée rouge marron. Qu'est-ce que c'est ? me demandai-je Ça pourrait être ? Non... probablement pas. Mais si ce n'était pas ça, alors qu'est-ce que c'était ? Au moment où je tirai la chasse, je fus certaine que c'était ça, parce qu'il y avait quelques gouttes de sang menstruel. Imaginez-moi ça... mes règles le jour de mon treizième anniversaire ! Il fallait faire vite.

– Emily... appelai-je. Tu es toujours là ?

– Oui.

– Tu pourrais me passer des serviettes en papier ?

– Pourquoi ? demanda Emily.

– J'ai mes règles, dis-je en essayant d'être sérieuse. (On aurait dit une adulte !)

– Tu ne veux pas une serviette périodique ?

– Je n'ai pas d'argent sur moi... et toi ?

– Non, mais je peux aller demander à quelqu'un

– Ça va, dis-je. Passe-moi seulement les serviettes en papier.

– Voilà... dit-elle en m'en passant tout un tas sous la porte.

– Merci.

Je mis une douzaine de serviettes dans ma culotte, mais c'était désagréable et ça me grattait. Enfin, c'était mieux que rien. J'étais impatiente de dire à Alison ce qui se passait ! Mais quand je revins dans la salle de gym, elle dansait encore avec Eric Macaulay et Peter m'attendait à la table du buffet.

– Je croyais que tu étais tombée dedans, dit-il en regardant son chronomètre. Tu es partie neuf minutes et dix-sept secondes.

Nous dansâmes à nouveau mais je ne pouvais pas m'empêcher de penser : et s'il n'y a pas assez de serviettes ? Et si ça tachait ma jupe et que Peter me dise : *Qu'est-ce que c'est ? Tes règles ?*

– Tu ne fais pas tes pas *en avant, sur le côté, ensemble* comme avant, dit Peter.

– Oh, désolée...

Comment pouvais-je me concentrer sur la danse dans un moment pareil ? J'essayai d'attirer l'attention d'Alison. Je lui fis signe, mais elle crut que c'était pour dire bonjour et elle me rendit mon salut. Elle et Eric n'arrêtaient toujours pas de danser. Finalement, je m'éloignai de Peter et dis :

– Je viens de me souvenir... il faut que je dise quelque chose à Mme Remo.

– Maintenant ?

– Oui.

– Tu essaies de te débarrasser de moi ? demanda Peter.

– Non... Ça n'a rien à voir avec toi.

– D'accord. (Il poussa à nouveau sur le bouton de son chronomètre.) Tu as cinq minutes à partir de maintenant !

J'allai voir Mme Remo et lui demandai si je pouvais lui parler en privé. Elle mit un bras autour de moi.

– Les garçons t'ennuient ? demanda-t-elle.

– Non. (Je me demandai pourquoi elle croyait ça.) Ce sont mes...

Et puis, pour je ne sais quelle raison, je me mis à rire.

– Quoi ? demanda Mme Remo.

– Je viens d'avoir mes règles et je n'ai pas de...

Je ne pouvais pas m'arrêter de rire.

– C'est la première fois ?

Je hochai la tête parce que je riais trop pour parler.

– Voyons ce qu'on peut faire.

Mme Remo alla dans les toilettes des filles avec moi, mit une pièce dans le distributeur accroché au mur et me tendit une serviette périodique.

– Enlève la bande de papier en dessous et accroche-la à ta culotte, murmura-t-elle. J'attends ici... au cas où.

J'essayais d'arrêter de rire. Je ne suis pas du genre à glousser comme Alison. J'attachai la serviette à ma culotte, me rhabillai et sortis au moment où Alison surgissait dans les toilettes.

– Ça va ? demanda-t-elle. Peter m'a dit qu'il se passait quelque chose.

– Je vais bien, lui dis-je. J'ai mes règles.

– Oh, Steph ! (Alison me prit dans ses bras.) C'est tellement excitant ! Et c'est aussi ton anniversaire.

– C'est ton anniversaire ? demanda Mme Remo.

– Oui. J'ai treize ans aujourd'hui.

Mme Remo me prit dans ses bras elle aussi, ce qui était assez gênant.

– Bon anniversaire, Stéphanie !

Peter et Eric nous attendaient, Alison et moi.

– Ça fait douze minutes et quatre secondes, dit Peter. (J'aurais préféré qu'il eût autre chose qu'un chronomètre comme cadeau de Noël.)

Mme Remo alla au micro et tapa dessus.

– Attention, tout le monde... dit-elle. Je veux faire une annonce. Je viens de découvrir quelque chose à propos de Stéphanie Hirsch.

Oh non ! pensai-je. Elle va annoncer que j'ai mes règles à tous les élèves de sixième. C'était encore pire que le rêve que j'avais fait sur la fête, où j'étais nue et où Mme Remo devait me couvrir de son manteau. J'avais le visage brûlant. J'avais la tête qui tournait. J'allais m'évanouir, pensai-je. Je cherchai le bras de Peter pour me tenir debout, mais il crut que je voulais lui prendre la main.

Mme Remo commença à parler.

– Aujourd'hui...

– Non ! dis-je d'une voix faible, espérant arrêter Mme Remo. Mais Peter pensa que ce *non* signifiait que je ne voulais pas lui tenir la main et il s'éloigna d'un pas.

– Aujourd'hui, c'est l'anniversaire de Stéphanie. Elle a treize ans, dit Mme Remo. Souhaitons-lui un bon anniversaire.

Tous les élèves se mirent à chanter et mon mal de tête passa. Je regardai Rachel qui était debout à côté de Max Wilson. Elle ne chantait pas. Nos yeux se rencontrèrent un instant avant qu'elle se détourne. Je me souvins de ma promesse : qu'elle et Alison seraient les premières à apprendre que j'avais mes règles. Mais une promesse envers quelqu'un qui n'est plus votre amie ne compte pas.

Pendant la dernière heure de la soirée, Rachel et Max restèrent enlacés, bougeant à peine au rythme de la musique. Sa tête était enfouie dans son cou à lui et elle avait les yeux à demi fermés. C'était vraiment le couple le plus ardent de la soirée.

Quand la musique s'arrêta, ce fut la ruée vers les

vestiaires. Quand nous eûmes trouvé nos manteaux, nous sortîmes. Il faisait froid, la nuit était claire et Peter pointa un doigt vers le ciel.

– Regarde... Orion.

Quand je levai la tête, il m'embrassa.

– Bon anniversaire, Steph.

J'étais tellement surprise que je ne trouvai rien à dire.

Je n'ai jamais fait ça avant, confessa-t-il.

– Moi non plus.

– Essayons encore, dit-il.

– D'accord.

Cette fois, je fis attention de fermer la bouche. Je n'allais pas courir le risque que nos appareils dentaires s'accrochent. Je n'avais pas le même genre de frissons en embrassant Peter qu'en passant à côté de Jérémy Dragon ou en faisant semblant que Benjamin Moore était mon petit ami, mais c'était une sensation chaude et amicale.

Peter s'en alla dès qu'il vit la voiture de sa mère. Je restai seule une minute, repensant à tout ce qui était arrivé pendant cette nuit.

– Oh, tu es là, dit Alison. Je me suis amusée ! Eric m'a embrassée pour me souhaiter une bonne nuit.

– Peter m'a embrassée, lui aussi.

– Eric m'a embrassée deux fois.

– Peter aussi.

– Tu crois qu'ils avaient préparé leur coup ? demanda Alison.

– Est-ce qu'il t'a dit de lever la tête pour voir Orion ?

– Oui, dit-elle.

– Alors ils l'avaient préparé.

– Et alors... on s'en fiche, non ? dîmes-nous en chœur.

Et puis nous éclatâmes de rire.

⁂

Maman n'arrivait pas à croire que j'avais mes règles. Elle était plus excitée que moi.

– Allez, Maman... dis-je, ça arrive à toutes les filles tôt ou tard.

– Je sais, dit-elle, assise sur mon lit après la soirée, mais c'est différent quand ça arrive à votre propre fille. Je suis si fière de toi, Steph !

– Simplement parce que j'ai mes règles ?

– Non... parce que. (Elle était au bord des larmes et dut s'interrompre pour se moucher.) J'aimerais bien que Rachel et toi vous soyez réconciliées. Nell est passée ce soir, quand tu étais à la fête. Elle a laissé un paquet pour toi. Je vais le chercher.

Maman revint avec une boîte enveloppée de papier argenté, entourée d'un ruban violet. J'ouvris la carte. *Avec amour, pour ton anniversaire, de la part de toute la famille Robinson*, était-il écrit de la main de Mme Robinson. A l'intérieur de la boîte, il y avait une longue chemise de nuit à l'ancienne, du genre de celle que porte l'héroïne de *Casse-Noisettes*. Ça faisait longtemps que j'en voulais une. Je la dépliai devant Maman pour lui montrer.

– Elle est magnifique, dit-elle. Pourquoi tu ne les appelles pas pour les remercier ?

– Je vais plutôt leur écrire, dis-je.

⁂

J'appelai Papa le matin suivant pour le remercier du collier qu'il m'avait offert pour mon anniversaire.

Mais j'avais oublié le décalage horaire et je l'ai réveillé.

– Tu veux que je rappelle plus tard ? demandai-je.

– Non... ça va. (Il semblait encore dans les vapes. J'espérais qu'Iris n'était pas là.) Quelle heure est-il ?

– Il est presque dix heures ici, alors ça doit faire sept heures à peu près chez toi.

Il bâilla.

– Je voulais me lever tôt aujourd'hui.

– Je téléphone pour te remercier pour le collier. Il est merveilleux. J'adore les améthystes.

– Ça me fait plaisir. Alors, comment s'est passée ta soirée ?

– Ç'était super ! (Je pensai un instant lui dire que j'avais mes règles, mais je décidai de ne pas lui en parler. Je ne voulais pas qu'il en discute avec Iris. Ce n'étaient pas ses affaires.) Au fait, tu me dois cinq dollars.

– Moi ?

– Oui... tu as perdu ton pari.

– Quel pari ?

– Que Rachel serait à nouveau ma meilleure amie à mon anniversaire.

⁂

A onze heures, Alison, Bruce et moi prîmes le train pour New York. J'avais demandé à Bruce de prendre la place de Rachel, parce qu'il était trop tard pour inviter une autre amie de l'école. Et, dans un certain sens, j'étais contente de l'emmener. Bruce peut être de très bonne compagnie. Et puis il m'avait fabriqué une magnifique boîte en découpage pour mon anniversaire. Maman m'a dit qu'il travaillait dessus en secret depuis un mois.

39
Mme Robinson

La semaine suivante, il y eut une autre tempête de neige et l'école fut à nouveau fermée. J'allai passer l'après-midi chez Alison et, en revenant à pied à la maison, je vis le soleil qui, en perçant dans le ciel, laissait des traînées roses et violettes derrière lui. J'aimais bien l'odeur propre et fraîche de la neige. J'avais passé un après-midi parfait. Je me mis à fredonner une chanson que j'avais entendue sur la stéréo d'Alison. En passant devant la maison de Rachel, je vis Mme Robinson qui essayait de sortir sa voiture d'un tas de neige. J'aurais dû prendre l'autre chemin près de l'étang, pensai-je. Je baissai la tête et marchai plus vite, mais Mme Robinson me vit quand même.

– Steph ! appela-t-elle.

Je levai la tête comme si j'étais vraiment surprise de la trouver là.

– Oh... bonjour, Mme Robinson. Je ne vous avais pas vue.

Elle s'avança vers moi en portant sa pelle.

– Vous voulez un coup de main pour dégager votre voiture ? demandai-je.

– Non, c'est sans espoir, dit-elle. Je vais attendre le chasse-neige. (Elle s'appuya sur sa pelle.) Merci pour ton petit mot. C'était très gentil.

– J'ai vraiment beaucoup aimé la chemise de nuit, lui dis-je.

– Rachel avait dit qu'elle te plairait.

J'aurais préféré qu'elle ne prononce pas le nom de Rachel parce qu'à chaque fois que je l'entends, ça me fait mal au ventre.

– Stéphanie... commença Mme Robinson, et je compris au ton sérieux de sa voix que je n'avais pas envie d'entendre ce qu'elle allait dire.

– Qu'est-ce qui s'est passé entre toi et Rachel ?

– Il faut le lui demander à elle, dis-je.

– Je le lui ai demandé... mais elle ne m'a rien dit.

Je ne savais pas quoi dire debout, là, comme une idiote, et je regrettais que Mme Robinson m'ait vue.

– Vous pouvez sûrement en parler et vous réconcilier, dit Mme Robinson. Je sais que Rachel veut être ton amie. Je sais que tu comptes beaucoup pour elle.

Je détournai les yeux vers la maison des Robinson. Je crus voir Rachel derrière la fenêtre de sa chambre.

– Elle est terriblement malheureuse, Steph. Tu sais combien elle est sensible. Tu sais combien elle a besoin de toi.

– Elle a besoin de moi ? dis-je. (Je ne réussissais pas à imaginer que Rachel puisse avoir besoin de quelqu'un !)

– Oui, dit Mme Robinson, elle a énormément besoin de toi. Elle dépend de toi.

– C'est elle qui vous a dit ça ? demandai-je.

– Elle n'a pas besoin de me le dire, je le vois. Je ne peux rien faire pour aider à vous réconcilier ?

Je secouai la tête.

– La séparation de tes parents doit être dure à

vivre et je ne veux pas aggraver les choses, dit Mme Robinson.

J'aurais voulu lui dire de se taire, qu'elle n'avait aucun droit de parler de la séparation de mes parents, mais elle continua.

– Reporter ta colère sur Rachel, ce n'est pas juste, Steph.

– Vous croyez que c'est ce que je fais ?

– Je me trompe ? demanda Mme Robinson.

– Oui, vous vous trompez ! dis-je en m'étranglant.

– Alors je suis désolée.

Elle essaya de passer son bras autour de mes épaules mais je reculai et me mis à courir. En arrivant près de la maison, je trébuchai et atterris dans la neige. Mon pantalon était trempé.

⁂

– Tu ne croiras jamais ce que m'a dit Mme Robinson ! dis-je à Maman ce soir-là. Tu imagines : elle pense que je reporte ma colère sur Rachel ! Tu as déjà entendu quelque chose d'aussi ridicule ?

– Elle a peut-être raison, dit Maman. C'est peut être ce qui est arrivé.

– Maman !

– Est-ce que cette histoire absurde avec Rachel n'a pas assez duré ? Pourquoi tu ne t'excuses pas, Steph ?

– Moi ? M'excuser ! Pourquoi ? J'aimerais bien que tu arrêtes d'essayer de nous réconcilier ! criai-je. C'est *notre* problème, pas le vôtre !

Je montai en courant et claquai la porte de ma chambre Mon après-midi parfait était gâché !

⁂

Papa appela quelques jours plus tard.

– Je pense que tu seras contente de l'apprendre dit-il, le 1er mai, je reviens travailler à New York.

– Quoi ? demandai-je, en passant l'écouteur d'une oreille à l'autre. Qu'est-ce que tu dis ?

– Je vais lancer un nouveau bureau à New York à partir du 1er mai, dit Papa lentement, comme si nous ne parlions pas la même langue.

– Est-ce qu'Iris vient avec toi ?

– Iris et moi, nous ne nous voyons plus.

Pour une nouvelle, c'en était une sacrée !

– Depuis avant ou après mon anniversaire ?

– Avant, dit Papa. Mais écoute, Steph... je ne veux pas que tu te le reproches.

Me le reprocher ? me demandai-je.

– Je sais que les enfants s'en veulent toujours dans des cas comme ça, dit Papa.

Ils s'en veulent ?

– Ce n'était pas de ta faute, continua Papa. Iris et moi l'avons compris, nous en avons parlé et nous avons réalisé que nos priorités étaient différentes.

– Alors vous avez rompu ?

– Je t'en prie, ne te sens pas trop coupable.

Me sentir coupable ?

– Ça tient plus à notre décision qu'à ce qui s'est passé à Noël.

Oh... Noël ! Alors c'est pour ça qu'il croyait que je me sentais coupable ! J'avais la tête pleine de questions.

– Où vas-tu habiter ? demandai-je. Ce que je voulais dire, en fait, c'était : *Est-ce que Maman et toi allez vous remettre ensemble ? Vas-tu revenir à la mai-*

son ? Mais c'était trop difficile de demander cela ainsi et de dire ce que j'avais en tête.

– Je vais probablement prendre un appartement à New York, dit Papa, au moins au début.

Qu'est-ce que ça voulait dire ?

– Alors tu vas habiter New York à partir du 1er mai ?

– Oui, dit-il. La vie ici ne ressemble pas à ce que j'attendais. Et vous me manquez très fort, toi et Bruce. Une fois à New York, on pourra se voir chaque semaine.

Chaque semaine ? Est-ce que ça voulait dire qu'il viendrait ici ou que Bruce et moi irions à New York ? Mon estomac commença à gargouiller mais je n'avais pas faim.

Quand je raccrochai, j'allai voir Maman dans sa chambre.

– Tu savais que Papa revenait travailler à New York ?

Maman était devant son ordinateur.

– Oui, dit-elle doucement.

– Et que son aventure avec Iris était finie ?

– Oui, dit-elle à nouveau.

– Alors qu'est-ce que ça veut dire ? demandai-je.

– Nous ne savons pas encore, Steph. Nous devons encore beaucoup réfléchir.

– Mais il se peut que vous reveniez ensemble... non ?

– N'espère pas trop.

– Mais c'est une possibilité, non ?

– J'imagine que c'est possible... Mais ce n'est pas probable.

– Je déteste ne pas savoir ce qui va se passer, criai-je. Je préférerais presque que vous divorciez.

J'aimerais que ce soit une chose ou une autre, comme ça je pourrais m'y habituer et arrêter d'y penser.

– Je ne vais pas te mentir, Steph, dit Maman. Nous ne savons pas, c'est tout...

– Vous êtes censés être des adultes, lui criai-je, alors pourquoi ne pouvez-vous pas prendre de décision ?

Je courus dans ma chambre et claquai la porte. Cette fois, Maman me suivit.

– Je commence à en avoir marre de tes accès de mauvaise humeur ! cria-t-elle. Il y a d'autres personnes qui vivent dans cette maison, tu sais. Et il est temps de faire un peu attention à eux aussi.

– Je fais très attention à Bruce ! lui répondis-je en criant.

40
Une sérieuse grippe

En mars, tout le monde attrapa la grippe. Tout le monde sauf Alison et moi. Rachel avait la grippe, Dana avait la grippe, Miri Levine et Peter Klaff avaient la grippe et je pense qu'Eric Macaulay l'avait attrapée, parce qu'il toussait toute la journée et s'endormait en classe, la tête sur son bureau. Mme Remo dit que si nous développons les symptômes, il ne faut absolument pas venir à l'école. Je l'ai entendue dire à M. Diamond :

– Ils tombent comme des mouches dans ma classe.

J'appelai Peter pour voir comment il allait.

– Cette grippe est vraiment sérieuse, dit-il. J'ai toussé pendant la moitié de la nuit.

– Ta mère ne t'a rien donné ?

– Elle y pense.

– Quand est-ce que tu reviens à l'école ?

– Pas avant d'aller mieux, ce qui, à ce rythme, veut dire à l'automne prochain.

– Eh bien, remets-toi, lui dis-je. Mais tu ne manques pas grand-chose. La moitié de la classe est absente.

– Ouais... Maman dit que c'est une épidémie.

– Je serai probablement la prochaine, dis-je.

– Eh bien ça sera à mon tour de t'appeler.

– Marché conclu.

Ce que j'aime bien à propos de Peter, c'est que ce n'est pas simplement un garçon, c'est un ami aussi.

Quand Alison appela en larmes, quelques nuits après, je crus que c'était pour me dire qu'elle avait la grippe elle aussi. Mais au lieu de ça, elle dit :

– C'est urgent. (Elle avait la voix qui tremblait.) Il faut que je te voie tout de suite.

– Tu veux que je vienne ? demandai-je.

Il était près de neuf heures du soir, la veille d'un jour de classe, et dehors il y avait du vent et de la pluie, mais ça ne comptait pas. Si Alison avait besoin de moi, il fallait que j'y aille. C'est à ça que ça sert les amis.

– Je viens chez toi, dit Alison.

– Quelqu'un est mort ? demandai-je en pensant à Sadie Wishnik.

– Non... dit Alison, personne n'est mort.

– Ouf !

Alison arriva dans la cuisine avec son sac pour la nuit sous un bras et Maizie sous l'autre. C'était la première fois qu'Alison amenait Maizie à la maison. Je me demandai pourquoi elle avait justement choisi une nuit où il pleuvait pour la première visite de Maizie. Et comment se faisait-il qu'elle ait emporté un sac pour la nuit ?

Maizie s'ébroua et puis alla renifler dans toute la cuisine.

Alison enleva son imperméable mouillé et l'accrocha à une chaise. Elle avait les yeux rouges et gonflés.

– Qu'est-ce qui ne va pas ? dis-je.

– Où est ta mère ?

– Dans sa chambre. Pourquoi ?

– Où est Bruce ?

– Dans sa chambre lui aussi. Qu'est-ce qui se passe ?

– Ce que je dois te dire, je dois le dire en privé.

– D'accord... ça va.

– Est-ce qu'on peut aller dans ta chambre sans que personne ne nous voie ?

– On peut essayer.

Alison porta Maizie et lui maintint la gueule fermée pour l'empêcher d'aboyer. Nous nous faufilâmes doucement dans les escaliers et nous arrivâmes dans ma chambre. Maizie se dégagea des bras d'Alison pour se cacher sous l'armoire à habits. Alison s'assit au bout de mon lit, les mains serrées très fort devant elle.

– Ma mère est enceinte, annonça-t-elle.

– Non !

– Et ils ne savent pas comment c'est arrivé.

– Tu veux dire que ce n'est pas arrivé comme tout le monde ?

– Je veux dire qu'elle a quarante ans, qu'elle n'a jamais réussi à être enceinte et tout à coup, ça y est.

– C'est incroyable ! dis-je.

– C'est plus qu'incroyable

– Qu'est-ce qu'elle va faire ?

– Elle va le garder. Elle et Léon trouvent que c'est magnifique. Ça ne les dérange pas de penser que quand le bébé aura mon âge, Maman aura cinquante-trois ans et Léon soixante-cinq.

J'essayai d'imaginer Gena Farrell enceinte, mais c'était impossible. Je ne pouvais pas l'imaginer vieille non plus.

– Et le feuilleton ? demandai-je.

– Comment peux-tu penser à un feuilleton dans un moment pareil ?

– Je ne sais pas. Ça m'a juste traversé l'esprit. J'aime bien le nouveau feuilleton de Gena à la télé. C'est drôle et pas idiot. Je le regarde tous les mardis soir. Léon pourrait peut-être donner un bébé à Franny – c'est le nom du personnage que joue Gena – dans le feuilleton. Ça pourrait être très intéressant.

Alison se remit à pleurer.

– Maman dit qu'elle ne me l'a pas annoncé avant parce qu'ils viennent d'avoir le résultat de l'amniocentèse…

– Qu'est-ce que c'est qu'une amniocentèse demandai-je.

– Des examens qu'ils font sur les femmes un peu âgées pour être sûr que le bébé va bien. Ils savent même de quel sexe sera le bébé.

– Et alors ?

– C'est… Elle secoua la tête. Je m'assis à côté d'elle et mis mon bras autour de son épaule. C'est un garçon, réussit-elle finalement à dire.

– Alors tu vas avoir un petit frère, comme moi.

– Tu n'as pas compris, hein? dit-elle en pleurant. Ça n'a rien a voir avec toi et Bruce.

– Parce que tu auras treize ans de plus que lui ?

– Non… parce que ça sera *leur* bébé. Leur *propre* bébé. Pas un bébé que Gena a adopté parce qu'elle ne réussissait pas à être enceinte. Ce bébé va leur ressembler.

– J'espère qu'il ressemblera à Gena, dis-je. Non qu'il y ait quelque chose qui cloche chez Léon… mais Gena est beaucoup plus…

Je m'arrêtai quand je compris que ce n'était pas

du tout ce qu'Alison voulait dire. Elle voulait dire que le bébé ne serait pas vietnamien.

– Ils n'auront plus besoin de moi.

– Allons, Alison ! Je n'ai jamais vu une enfant aussi aimée que toi.

– Jusqu'à maintenant ! Mais qui sait comment ça va être en juillet ?

J'aurais voulu lui parler de Papa et lui dire qu'il revenait travailler à New York le 1er mai. J'aurais voulu lui dire que je ne savais pas ce qui allait arriver, moi non plus. Mais ça ne paraissait pas être le bon moment pour amener mes problèmes de famille sur le tapis.

– Je pars en France demain, dit Alison. Je vais rechercher ma mère naturelle.

– Comment ?

– Oh ! il y a des moyens.

– Je pense que tu fais une grosse erreur, dis-je.

Nous entendîmes toutes les deux sonner à la porte. Alison se précipita à la fenêtre pour regarder.

– Ce sont eux, murmura-t-elle. Je vais me cacher dans le placard.

– Alison, j'aimerais que tu...

– Chut !

Elle était déjà dans le placard avec Maizie quand Maman ouvrit la porte.

– Alison est ici ?

On pouvait entendre des sons étouffés qui sortaient du placard : Alison essayait d'empêcher Maizie d'aboyer.

– Tes parents attendent en bas, Alison, dit Maman, comme s'il n'y avait rien d'anormal.

Dès que Maman fut partie, Alison ouvrit la porte de l'armoire et sortit avec Maizie dans les bras.

– Je suppose que je suis obligée de retourner à la maison maintenant, dit-elle. (Elle avait la voix rauque.) Je crois que je vais attendre demain avant de décider ce que je vais faire.

– Tu parais un peu bizarre, lui dis-je.

– Je me sens un peu bizarre, dit-elle.

Et puis elle tomba dans les pommes.

– Maman ! appelai-je. Viens vite...

Maman, Gena et Léon montèrent les escaliers à toute vitesse.

– Ma petite Citrouille ! dit Léon.

Il porta Alison sur mon lit.

Gena lui mit la main sur le front.

– Elle est brûlante.

– C'est probablement la grippe, leur dis-je. Tous les élèves de l'école tombent comme des mouches.

– Qu'est-ce qui se passe ? demanda Bruce, debout devant ma porte.

Alison ouvrit les yeux :

– J'ai un chien qui parle, dit-elle.

***

– Qu'est-ce que c'était que toute cette histoire ? demanda Maman, après que Léon et Gena eurent emmené Alison chez eux.

– Des problèmes de famille, dis-je.

– J'espère que ce n'est rien de sérieux, dit Maman en éteignant les lampes du salon.

– Gena est enceinte, mais personne n'est au courant. Et Alison pense qu'une fois qu'ils auront un bébé à eux, ils ne l'aimeront plus.

– Bien sûr que si, dit Maman alors que nous montions.

– C'est ce que je lui ai dit. Je n'ai jamais vu une enfant aussi aimée qu'Alison.

– Et toi et Bruce ? dit Maman en me suivant dans ma chambre.

Je haussai les épaules.

– Tu ne crois pas que nous vous aimons autant qu'ils aiment Alison ?

– Je ne sais pas.

– Stéphanie.. bien sûr que si !

– Peut-être.

– Ce n'est pas parce que nous ne sommes pas toujours d'accord que nous ne nous aimons pas, dit Maman.

– Je suppose que tu as raison.

– J'ai été dure avec toi cette nuit-là, hein ? demanda Maman.

– Quelle nuit ?

– La nuit où je t'ai dit de faire attention aux autres.

– Oh ! cette nuit-*là*.

– A partir de maintenant, dit Maman, si nous avons quelque chose sur le cœur, il faut le dire. Ce n'est pas bien de garder ses sentiments... la colère et le ressentiment cachés au fond de soi.

– Tu sais que je suis allée voir la conseillère pédagogique ? demandai-je.

– Non.

– Une seule fois... elle voulait m'aider à résoudre mes problèmes, mais je lui ai dit que je n'avais pas de problème. Rachel prétend que je n'affronte pas la réalité.

– C'est pour ça que vous vous êtes disputées ?

– En partie, oui. Et toi, tu penses que j'affronte la réalité ?

– Je pense que tu te débrouilles à ta façon. Je ne crois pas que tu te caches les faits. Je ne crois pas que tu démissionnes.

– Quelquefois, je fais semblant que tout va bien même quand ce n'est pas vrai.

– Moi aussi, dit Maman. C'est comme ça que je passe toutes mes journées.

– Nous nous ressemblons beaucoup, non? demandai-je. Nous sommes toutes les deux des optimistes.

Maman me prit dans ses bras.

– Nous le sommes, ça c'est sûr.

41
Le printemps

Ça fait sept semaines que Rachel et moi nous ne nous parlons plus. Le matin, à l'arrêt de bus, elle ne me regarde même pas. Elle reste avec Dana, à parler et à rire. Parfois, elles parlent si bas toutes les deux que je ne peux pas entendre ce qu'elles disent. J'aimerais bien qu'Alison se dépêche d'aller mieux. Je déteste attendre le bus toute seule. Je ne me suis jamais sentie aussi rejetée de toute ma vie. C'est comme si j'étais invisible, comme si je n'existais pas. En fait, ça ne me dérange pas tellement parce que, en ce qui me concerne, Rachel Robinson n'existe pas non plus ! En plus, j'ai des choses plus importantes en tête, comme qu'est-ce qui va se passer le 1er mai quand Papa va commencer à travailler à New York, par exemple.

J'apporte ses devoirs à Alison, mais, les trois premiers jours, elle était trop malade pour travailler. Léon m'a laissée entrer un moment dans sa chambre. En la voyant comme ça, si petite et si pâle avec les yeux fermés, ça m'a fait un choc. Je suppose que Léon l'a remarqué parce qu'il a dit :

– Ça a l'air pire que ça ne l'est en réalité. Elle va se remettre.

Plus tard dans la semaine, quand j'allai chez elle,

Alison était assise sur son lit et buvait du jus d'orange.

– Je me sens un peu mieux, dit-elle en toussant.

– Je le vois.

Elle avait un livre : *Comment appeler son bébé.*

– J'essaie de lui trouver un beau prénom. Tu n'imagines pas le nombre de prénoms qu'il y a. Pour l'instant, Maman aime bien Alexander, Léon aime bien Edward et Sadie Wishnik Nelson...

– Nelson ? dis-je.

– Je sais, dit Alison, c'est horrible. (Elle rit un peu, mais ça la fit tousser.) Tu ferais mieux de ne pas trop t'approcher.

– Je n'ai pas peur de l'attraper, dis-je.

En fait, l'idée de passer une semaine au lit, avec Mme Greco qui me préparerait des toasts à la cannelle et de la tisane à la camomille ne me semblait pas désagréable.

– C'est bien que je ne sois pas allée à Paris, pour finir, dit Alison. Que j'aie été clouée ici avec la grippe.

– Ouais... et avec Léon pour s'occuper de toi.

– J'ai décidé d'attendre pour voir ce qui va se passer. Ça ne sera peut-être pas si terrible que ça. Et si ça l'est, je peux toujours partir après la naissance du bébé.

– C'est vrai, dis-je. (Maizie entra et sauta sur la chaise d'Alison.) Devine quoi ? dis-je, en faisant courir mes doigts sur le dos de Maizie. Mon père revient travailler à New York.

– Quand ? demanda Alison.

– Le 1er mai.

– Qu'est-ce qui va se passer ?

– J'aimerais bien le savoir !

– Eh bien, au moins tu pourras le voir quand tu voudras.

Je hochai la tête.

– Léon dit qu'on sent l'odeur du printemps dans l'air aujourd'hui, dit Alison en s'allongeant contre son oreiller. J'aimerais bien sortir. Je déteste rester au lit.

– Tu iras bientôt mieux, lui dis-je. Tu sais que Dana et Jérémy vont au bal des quatrièmes ensemble ?

– Non.

– J'ai entendu Dana le dire à Rachel à l'arrêt de bus ce matin.

– Est-ce qu'elle porte à nouveau sa gourmette ?

– Non, ils ont décidé que c'était la gourmette qui était le problème.

– Ça n'a aucun sens. Tu es sûre que tu as bien entendu ?

– Oui, j'ai écouté tout ce qu'elles se disaient.

Alison bâilla.

– Je pense que je vais dormir maintenant.

– D'accord... A demain.

⁂

Jérémy Dragon porte à nouveau son blouson couleur chartreuse. Il m'a foncé dessus à l'école. Je l'avais vu venir, mais lui ne m'a pas vue et nous nous sommes cognés. Je suppose que j'aurais pu faire un pas sur le côté pour l'éviter, mais je ne l'ai pas fait. Il a fait tomber les livres de mes bras.

– Salut, Macbeth ! dit-il. On s'est pas vus depuis longtemps.

– Je prends toujours le même bus que toi.

– Eh bien, longtemps que je ne t'ai pas remarquée.

Je sentis son haleine, ses cheveux et la senteur boisée qui sortait de sa chemise quand il s'agenouilla pour m'aider à ramasser mes livres. J'avais des frissons partout. Dana a vraiment de la chance !

J'ai eu du mal à me concentrer en classe pendant le reste de la journée. Je pensais encore à lui l'après-midi en sortant du bus. Rachel et moi étions les seules à descendre à Palfrey's Pond. Je marchais derrière elle, en fredonnant toute seule. Les crocus commençaient à fleurir. J'adore la façon dont ils sortent de terre. Un jour, il n'y a rien, et le lendemain, on voit des petites fleurs bleues, jaunes et blanches partout.

Rachel marchait en portant ses livres sous le bras. Ses cheveux rebondissaient derrière son dos et pas des deux côtés de son visage, comme ceux d'Alison. J'aurais voulu la rattraper et lui dire : *Quoi de neuf ?* Mais je ne savais pas comment elle réagirait.

Je suivis Rachel jusque chez elle, sans y penser. Quand nous fûmes arrivées, elle se retourna. Pendant une minute, je crus qu'elle allait me dire de partir et je commençais à réfléchir à ce que je lui répondrais si elle me disait ça. Mais au lieu de m'agresser, son visage s'adoucit.

– Je te raccompagne, dit-elle, comme pour me demander la permission.

Je hochai la tête.

Cette fois, nous marchâmes l'une à côté de l'autre, mais nous ne parlâmes pas. Quand nous arrivâmes à la maison, je dis :

– Je te raccompagne.

Alors elle hocha la tête. A la moitié du chemin, je dis :

– Tu veux en parler ?

– Et toi ? demanda-t-elle.

– Je ne me souviens même pas comment ça a commencé.

– Tu as dit à Amber que Max m'aimait bien.

– Oh, c'est vrai... je n'ai jamais compris ce qu'il y avait de si mal à ça.

– C'était juste la goutte d'eau qui a fait déborder le vase, dit Rachel. J'étais *si* en colère contre toi à ce moment-là.

– Pourquoi ?

– Parce que tu ne m'aimais plus.

– Non, dis-je, c'est toi qui ne m'aimais plus !

– *Je* ne t'aimais plus parce que *tu* ne m'aimais plus ! dit Rachel. Ta meilleure amie était devenue Alison et tout le monde le savait.

– Mais tu avais Stacey Green, lui dis-je, et tu ne voulais plus être ma meilleure amie.

– C'était parce que *toi* tu ne voulais plus être la mienne ! (Rachel fit passer ses livres d'un bras à l'autre.) J'avais l'impression qu'il y avait une compétition... moi contre Alison... et je perdais toujours.

– Tu as agi comme si tu étais trop adulte pour rester avec nous.

– J'essayais de vous faire ce que vous m'aviez fait en me laissant de côté.

– On ne t'a jamais laissée de côté. Nous avons toujours été trois.

– Je me suis *sentie* laissée de côté. J'ai *senti* que tu n'étais plus ma meilleure amie.

– On peut avoir plus qu'une seule meilleure amie à la fois, dis-je.

– Non, on ne peut pas.
– Pourquoi pas ?
– Parce que meilleure veut dire *meilleure*.
Je réfléchis à ça.
– Et si on disait proche ? demandai-je. On peut avoir plus qu'une seule amie *proche* en même temps, non ?
Rachel y réfléchit.
– Je crois que oui.
– Et proche c'est aussi bien que meilleure !
– Je ne suis pas forcément d'accord, dit Rachel.
– Mais c'est mieux d'être amies que pas amies du tout... Tu es d'accord avec ça, non ?
– Eh bien oui, dit Rachel, si tu parles de vraie amies.
– Oui, je parle de vraies amies.
– Alors il vaut certainement mieux l'être que ne pas l'être*. (Rachel pointa la langue contre sa joue.) Je crois que c'est un vers de Shakespeare.
– Je ne sais pas, lui dis-je.
– J'ai appris que tu avais eu tes règles, dit Rachel.
– Ouais, mais une seule fois pour le moment.
– Et tu as maigri aussi.
– Je n'ai plus aussi faim qu'avant. Maman dit que c'est parce que mes hormones se stabilisent.
– Tu as toujours ce poster ridicule au-dessus de ton lit ?
– Tu parles de Benjamin Moore ?
Rachel rit.
– J'ai toujours aimé ce poster.
– Est-ce que tu emploies toujours de grands mots ?

* *To be or not to be :* « Etre ou ne pas être », célèbre vers de « Hamlet ».

– Tu veux dire au sens propre ou au sens figuré ?
– Ha ! ha ! fis-je. (Je ne savais pas du tout ce que ça voulait dire.)
Quand nous arrivâmes chez Rachel, nous nous arrêtâmes.
– J'ai entendu dire que tu avais rompu avec Max.
– Il n'avait rien dans la tête, dit Rachel. J'ai entendu dire que tu sortais avec Peter Klaff.
– On ne sort pas vraiment ensemble. On est amis, c'est plutôt ça.
Rachel posa ses livres sur les marches de l'entrée pour chercher sa clé dans son sac.
– Mon père revient travailler à New York, dis-je.
– Je sais. Ma mère est allée chez ta Tante Denise.
– C'est comme ça que tu as découvert pour mes parents au début ?
– Oui. (Rachel ouvrit la porte mais elle n'entra pas.) Ecoute... je n'aurais pas dû dire ces choses sur tes parents. Je suis désolée. Je crois que j'ai essayé de te faire mal comme tu m'avais fait mal.
– Je n'ai jamais voulu te faire de mal.
– Mais tu l'as fait.
– Alors je suis désolée moi aussi, lui dis-je.
– Bon... Tu veux venir à mon concert le 15 ? Je fais un solo.
– Oh oui !
– Tu n'es pas *obligée* de venir, dit Rachel. Je veux seulement que tu saches que tu es invitée. Et tu peux amener Alison.
– Je ne suis pas *obligée* de l'amener.
– Non, mais ça me ferait plaisir. J'aime bien Alison.
– D'accord, je le lui demanderai. Elle a la grippe. Je vais chez elle maintenant.

– Dis-lui que j'espère qu'elle va guérir vite.
– Je lui dirai.
– A demain, dit Rachel.
– Ouais ! A demain !

⁂

Je vis une abeille bourdonner autour du buisson de forsythias devant chez Alison. Il faut que je commence à mettre mon collier contre les piqûres d'abeilles, pensai-je. Je me demandai ce qu'Alison dirait quand je lui raconterais que Rachel et moi nous nous parlions à nouveau et que nous étions peut-être même redevenues amies. Ça lui ferait probablement plaisir. Je coupai une branche de forsythia et sonnai chez Alison.

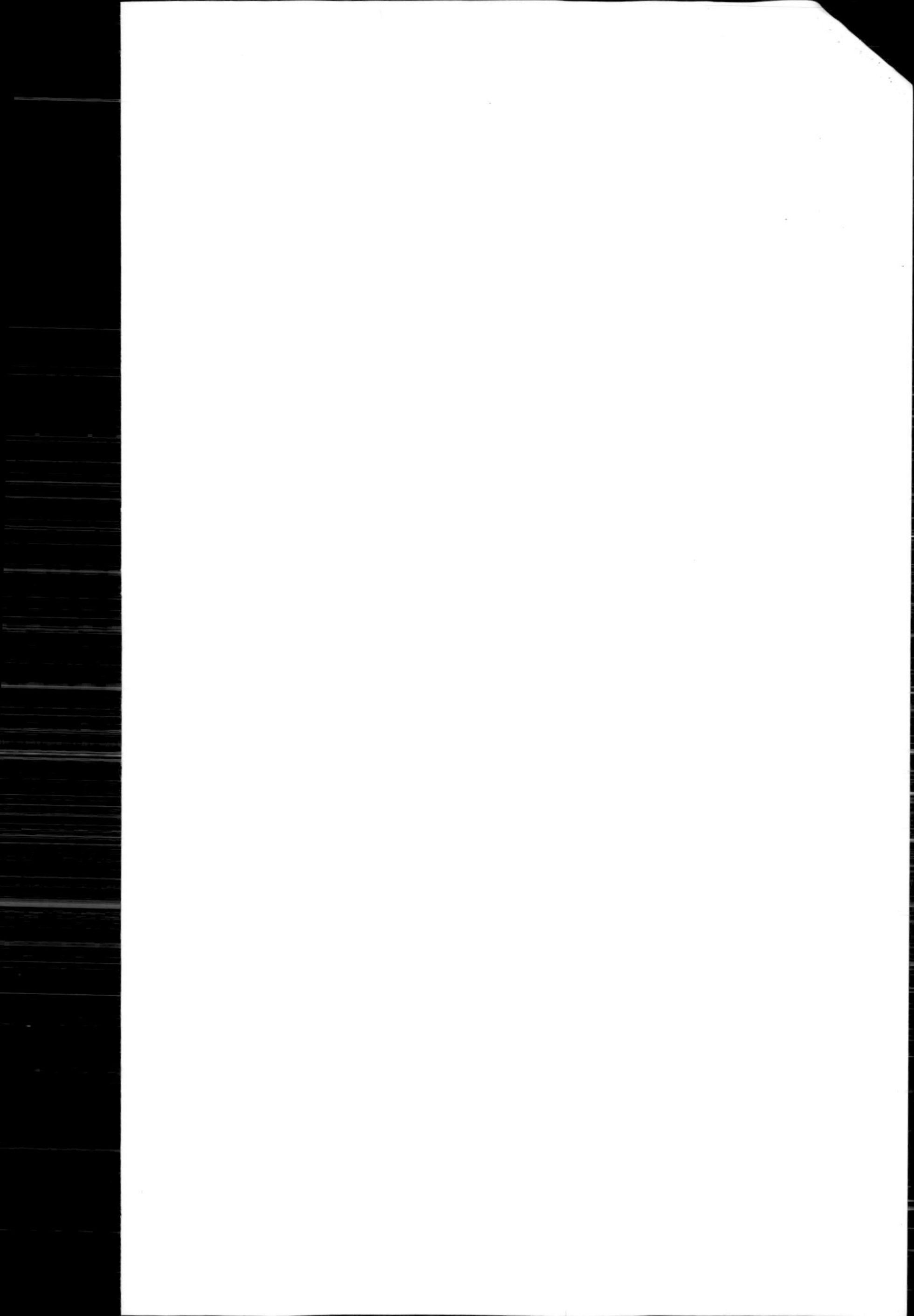

A R.C.L. 2005